Laurent Delmas – Samuel Douhaire

Cinéma

Les 100 premières fois

GRÜND

SOMMAIRE

Les 100 premières fois – Cinéma
est une publication de GRÜND

Éditorial et production : R&Co
www.rcopublisher.com
Jacques Riquier – Laurent Quint
contact@rcopublisher.com
Création maquette : François Meunier
Couverture : Elisabeth Sancey
Iconographie : Dominique Kervran

60, rue Mazarine – 75006 Paris

ISBN : 978-2-7000-2684-9
Dépôt légal : septembre 2009

Le bloc de couleur indique l'emplacement de la photo légendée sur la double page.

Avant-propos

Cent premières fois, et pourquoi pas mille ? C'est une question en forme de provocation, mais c'est une vraie question. Evoquer les cent premières fois dans l'histoire du cinéma mondial depuis sa création jusqu'à nos jours, c'est tenter l'impossible. Art jeune par définition, le cinématographe a multiplié en un peu plus d'un siècle maintenant les innovations, les genres, les mythes, les artistes et, bien entendu, les films. Pour tout traiter, il faudrait peut-être évoquer les mille premières fois du cinéma et encore... Songeons en effet que chaque pays ou presque a eu « son » premier film muet, puis « son » premier film parlant, puis « son » premier film en Technicolor, etc. Et que dire du premier film de chacune des grandes stars qui ont illuminé le ciel d'Hollywood, de Londres, de Paris, de Hong Kong ou de Cinecittà ? Et comment ne pas évoquer le premier film réalisé par Hitchcock, Truffaut, Rossellini, Wenders ou Spielberg ? De fait, recenser les cent premières fois au cinéma, c'est tout simplement écrire une histoire du cinéma mondial. Une histoire qui ne compterait que des naissances et des nouveautés.

Alors, il a bien fallu choisir, trancher et retrancher dans ce vaste panorama pour ne retenir au final que ces cent dates essentielles et impératives. Avec forcément des choix subjectifs, des partis pris mais surtout des incontournables comme le premier western, le premier film parlant, le premier Oscar, le premier film en images de synthèse et d'autres encore. Autant de dates et de moments-clés qui font partie de notre mémoire commune. Les oublis, volontaires ou non, disent bien que décidément cent, ce n'est pas assez !

Mais, dans le même temps, on se dit que ces cent premières fois-là dessinent une carte et une géographie du cinéma-monde avec ses pôles américain et européen, ses provinces et ses satellites. Elles dessinent à elles seules non pas une mais des histoires et destins fort différents avec pour seul point commun le cinéma précisément. Ce cinéma qui, à l'heure du numérique notamment, n'en finit pas avec la première fois. C'est à cela que l'on reconnaît un art vivant : sa capacité à ne pas cesser d'être « nouveau ».

François Clerc et le jeune Benoît Duval, dans *L'Arroseur arrosé*. Le premier gag de l'histoire du cinéma dans le premier film avec scénario et acteurs...

1er Acteur payé

FRANÇOIS CLERC DANS *L'ARROSEUR ARROSÉ*

Pour faciliter la commercialisation du « cinématographe » mis au point par son frère Auguste, Louis Lumière tourne plusieurs courts métrages au printemps 1895. Des prises de vues documentaires, comme *La Sortie des usines Lumière*, mais aussi une fiction. Il plante sa caméra dans le vaste jardin de la propriété familiale à Lyon, et demande à son jardinier de jouer son propre rôle. François Clerc, alors âgé de 27 ans, devient ainsi le premier acteur rémunéré de l'histoire du cinéma. Alors que le jardinier arrose les fleurs, un chenapan (joué par Benoît Duval, le fils d'un ouvrier-charpentier de l'usine Lumière) bloque l'arrivée d'eau. L'arroseur regarde dans le tuyau ce qui cloche... et se fait arroser, avant de tirer les oreilles au garnement. L'opérateur demande une deuxième prise à ses acteurs, afin que François Clerc corrige « plus sincèrement », autrement dit plus fort, son jeune partenaire. *Le Jardinier et le petit espiègle* fait partie des dix films projetés en décembre au Grand Café de Paris. Il est, depuis, passé à la postérité sous le titre de *L'Arroseur arrosé*.

Une pluie de remakes

L'année suivante, Louis Lumière réalise *Arroseur et arrosé*, un remake de son propre film, avec les mêmes acteurs et au même endroit. Avant d'être imité par, entre autres, Georges Méliès et Alice Guy...

1re Projection publique payante du cinématographe
GRAND CAFÉ DE PARIS

C'est au numéro 14 du boulevard des Capucines, dans le Salon indien du Grand Café de Paris, que l'industriel photographe lyonnais Antoine Lumière a convié la presse et le public à l'inauguration d'un nouveau spectacle. Mais il fait bien froid ce soir-là et seuls trente-trois spectateurs ont payé leur place. Une fois la lumière éteinte, les premières images déçoivent fortement : il ne s'agit que de photographies fixes des portes de l'usine Lumière à Lyon. Mais brusquement, les images s'animent. Les portes de l'usine s'ouvrent et laissent échapper un flot d'ouvriers et d'employées, une voiture, des chiens qui courent... Les spectateurs, médusés, découvrent au total dix petits films de moins d'une minute chacun parmi lesquels *Le Débarquement du congrès de photographie à Lyon* et *L'Arroseur arrosé*. Le cinéma est né !

L'entrée du Grand Café, près de l'Opéra de Paris. Un quartier chic pour un divertissement populaire.

Un officier, un curé, des bourgeois : les projections attirent du beau monde. Du moins selon cette affiche...

L'Arroseur arrosé, l'un des dix courts métrages présentés lors des premières projections. Et le plus célèbre.

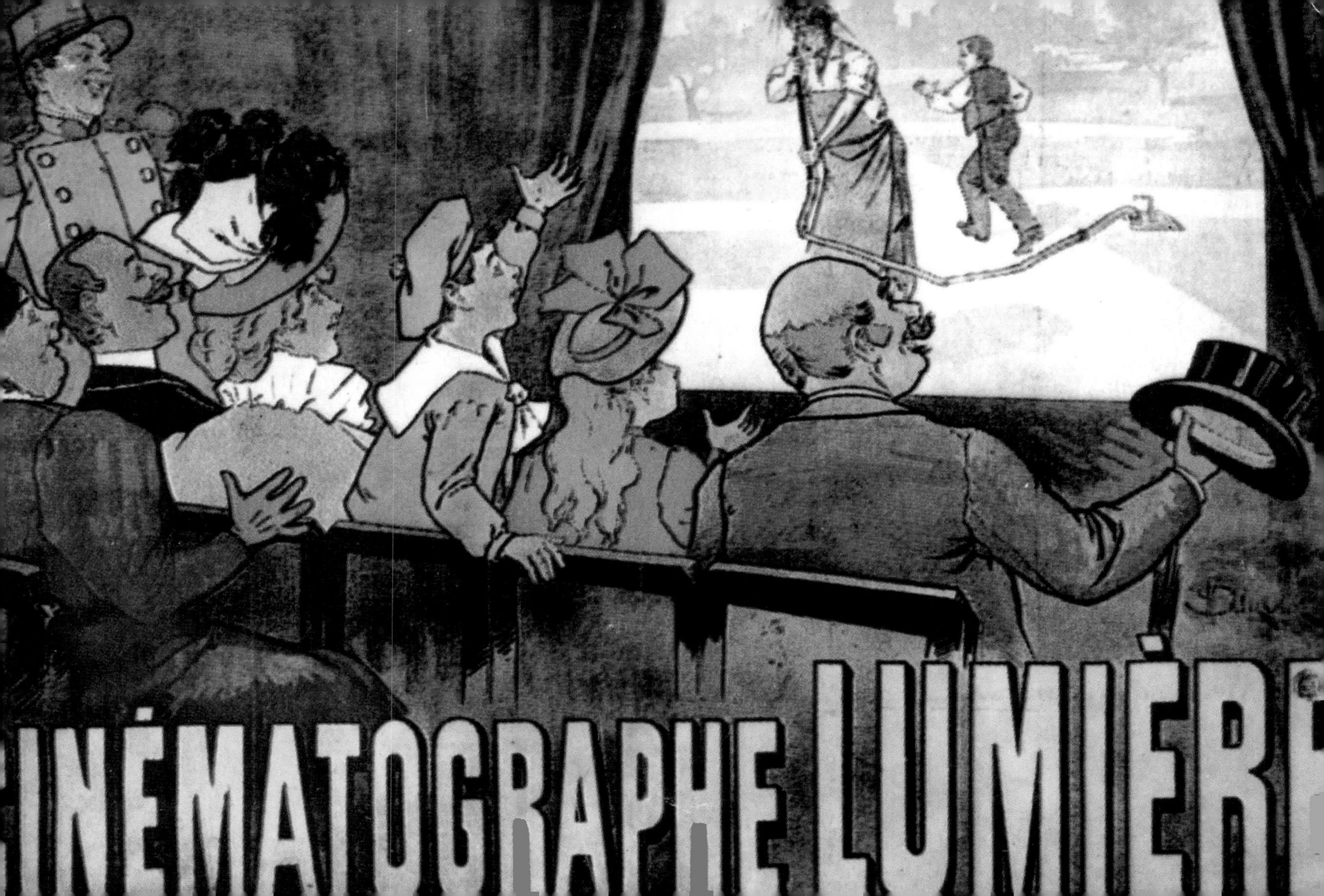
INÉMATOGRAPHE LUMIÈR

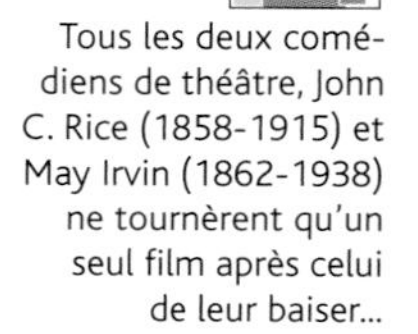

C'est après avoir vu May Irvin et John C. Rice s'embrasser sur une scène de Broadway que Thomas Edison les engagea pour faire la même chose au cinéma.

Tous les deux comédiens de théâtre, John C. Rice (1858-1915) et May Irvin (1862-1938) ne tournèrent qu'un seul film après celui de leur baiser...

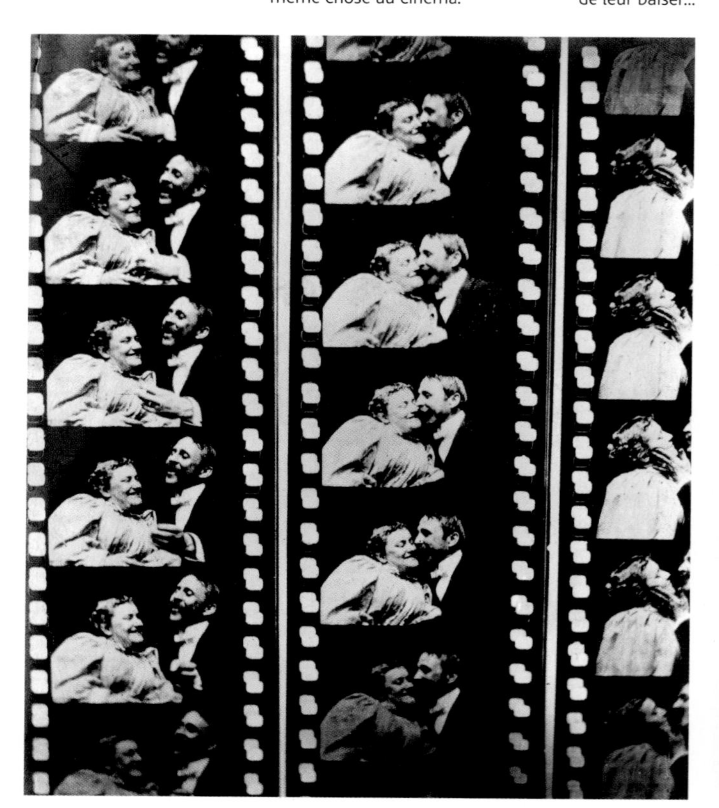

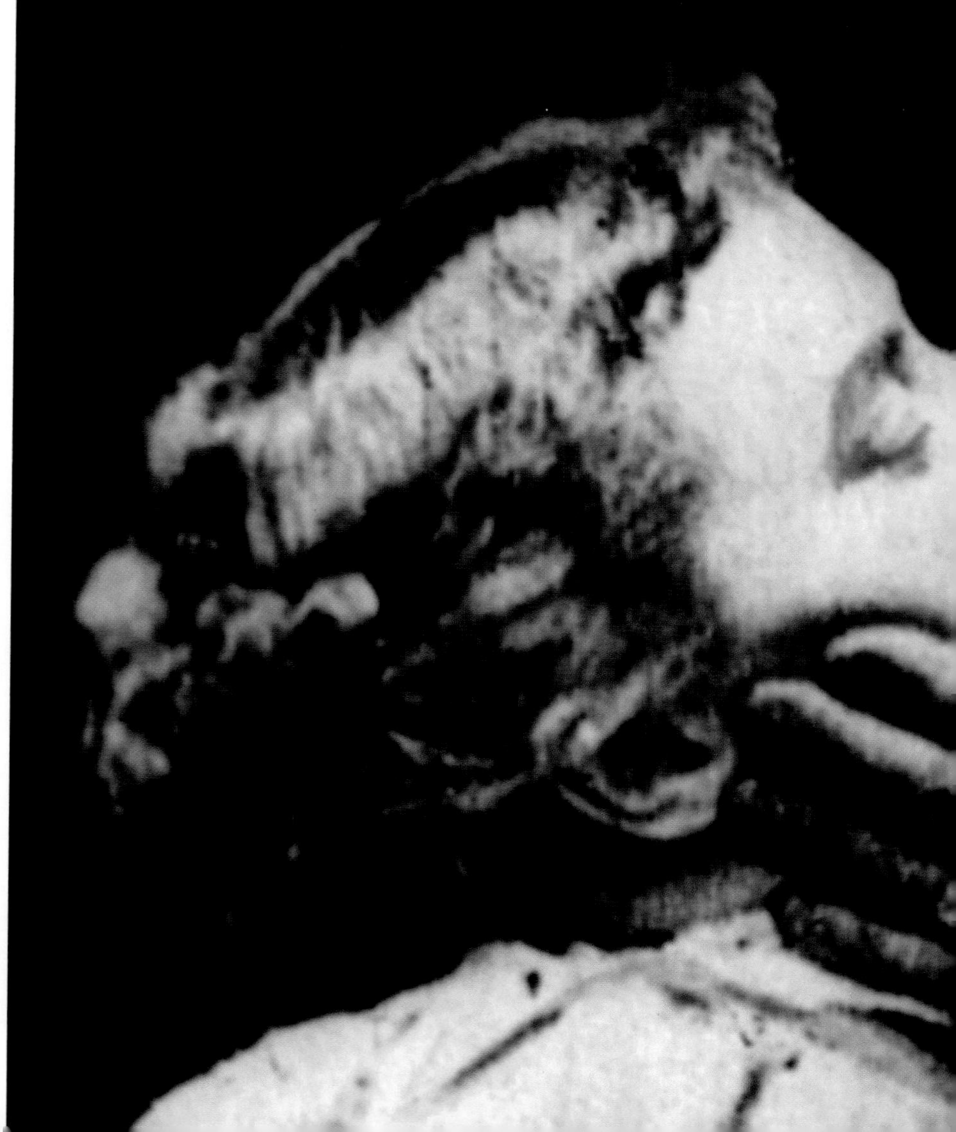

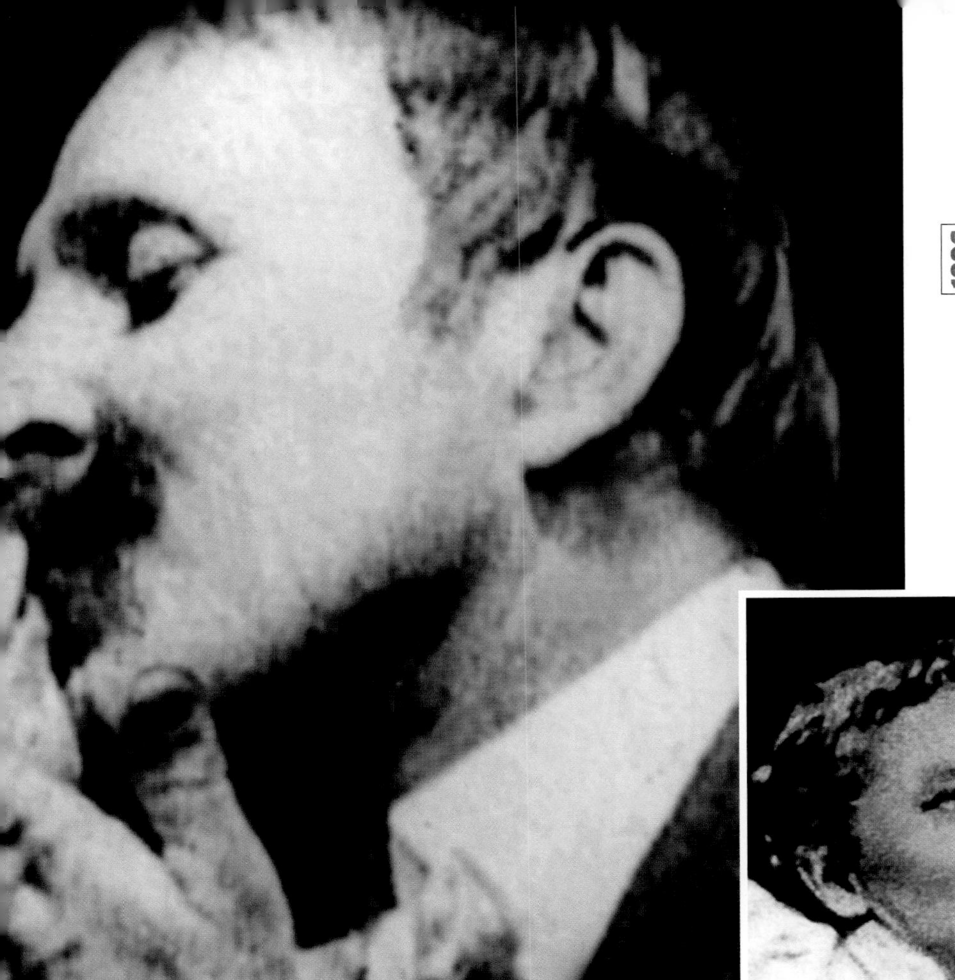

1896

1er Baiser sur grand écran

LE BAISER DE MAY IRVIN ET JOHN C. RICE

***Le Baiser de May Irvin et John C. Rice*, tel est le titre du film que diffuse à New York l'Edison Manufactury Company.** On y voit les deux acteurs vedettes de *La Veuve joyeuse* s'embrasser sur la bouche avec une fougue passionnée que la morale ne peut que réprouver ! Un journal s'indigne : « Grandeur nature, c'était déjà bestial, mais ce n'est rien comparé à ce que l'on peut voir maintenant. Agrandi jusqu'à des proportions gargantuesques et répété trois fois, c'est absolument répugnant. »

Le premier film à scandale

Le film n'est en réalité qu'une manifestation parmi d'autres de scènes qui font à chaque fois scandale, entre danses lascives et situations grivoises ou paillardes. Tant et si bien que certains commencent déjà à parler de l'instauration d'une censure pour endiguer cette vague montante.

1897 **1er** Studio de cinéma

GEORGES MÉLIÈS

C'est en banlieue parisienne, à Montreuil-sous-Bois, que Georges Méliès a fait bâtir dans le jardin de sa propriété un atelier de pose, réservé uniquement aux vues animées. Jusqu'à présent, il tournait ses films en plein air, avec le risque du mauvais temps et du manque de lumière. Désormais, dans un bâtiment long de 17 mètres, large de 7 et entièrement vitré, il fait évoluer ses acteurs sur une scène, comme dans un théâtre. Les premières images tournées dans cette audacieuse cathédrale de verre unique en son genre seront des actualités reconstituées à propos de la guerre gréco-turque : la prise de Tournavos sera ainsi intégralement filmée dans le studio de Montreuil-sous-Bois sans qu'aucun spectateur ne s'en aperçoive lors des futures projections de cet épisode historique !

Georges Méliès (1861-1938) était magicien professionnel. Sa passion pour le cinéma est née devant les films Lumière.

Le Voyage à travers l'impossible (1904, en haut) et *La Conquête du pôle* (1912, en bas), deux films inspirés par les romans de Jules Verne.

Le Royaume des fées (1903), est l'un des très nombreux films fantastiques qu'a réalisés Georges Méliès.

La Fée aux choux (1897), l'un des premiers courts métrages d'Alice Guy. Elle en tournera un remake, *La Fée aux choux, ou la naissance des enfants,* en 1900.

La Naissance, la vie et la mort de Notre-Seigneur Jésus-Christ (1906). Alice Guy avait auparavant réalisé *La Crèche à Bethléem, La Cène, La Résurrection...*

Alice Guy (1873-1968) tourna plus de trois cents films en France puis, à partir de 1910, aux États-Unis. Sa carrière cessa toutefois prématurément en 1920.

1897 – 1er

Film de la première femme cinéaste ALICE GUY

C'est deux ans auparavant qu'une jeune femme nommée Alice Guy est entrée comme secrétaire au Comptoir général de photographie que dirige Louis Gaumont. Elle se rend rapidement indispensable et, en ce début d'année 1897, elle demande à son patron l'autorisation de tourner elle-même quelques scènes en extérieur, à Belleville. Il s'agit de vues comiques comme *Une Nuit agitée* et *Le Planton du colonel* ou légères à l'image du *Coucher d'Yvette* et qui sont officiellement signées « Mademoiselle Alice Guy, cinématographiste ». Elles rencontrent immédiatement le succès auprès des forains et du public en raison de leur humour. Agée de vingt-quatre ans, Alice Guy devient ainsi la première femme cinéaste de l'histoire mondiale du cinéma.

1899 **1er**

Film censuré pour des raisons politiques
L'AFFAIRE DREYFUS

En 1899, la France se déchire sur l'Affaire Dreyfus. Dans une société encore marquée par l'antisémitisme, les milieux conservateurs restent persuadés que le capitaine juif a bien livré des secrets d'État à l'Allemagne. Les journalistes et étudiants progressistes sont, eux, plus que jamais convaincus de l'innocence d'Alfred Dreyfus, condamné pour espionnage et chassé de l'armée. Alors que le procès en révision devant le conseil de guerre vient tout juste de s'achever à Rennes, Georges Méliès tourne en septembre un film qui reconstitue l'affaire en onze tableaux sans équivoque. Le futur réalisateur du *Voyage dans la Lune* est dreyfusard, et ne s'en cache pas. Plusieurs projections de *L'Affaire Dreyfus* doivent être interrompues à cause de bagarres dans les salles entre partisans et adversaires du capitaine. Les autorités décident alors d'interdire le film pour éviter de nouveaux « troubles à l'ordre public ». Georges Méliès, le magicien de l'écran, devient ainsi le premier cinéaste censuré pour des raisons politiques.

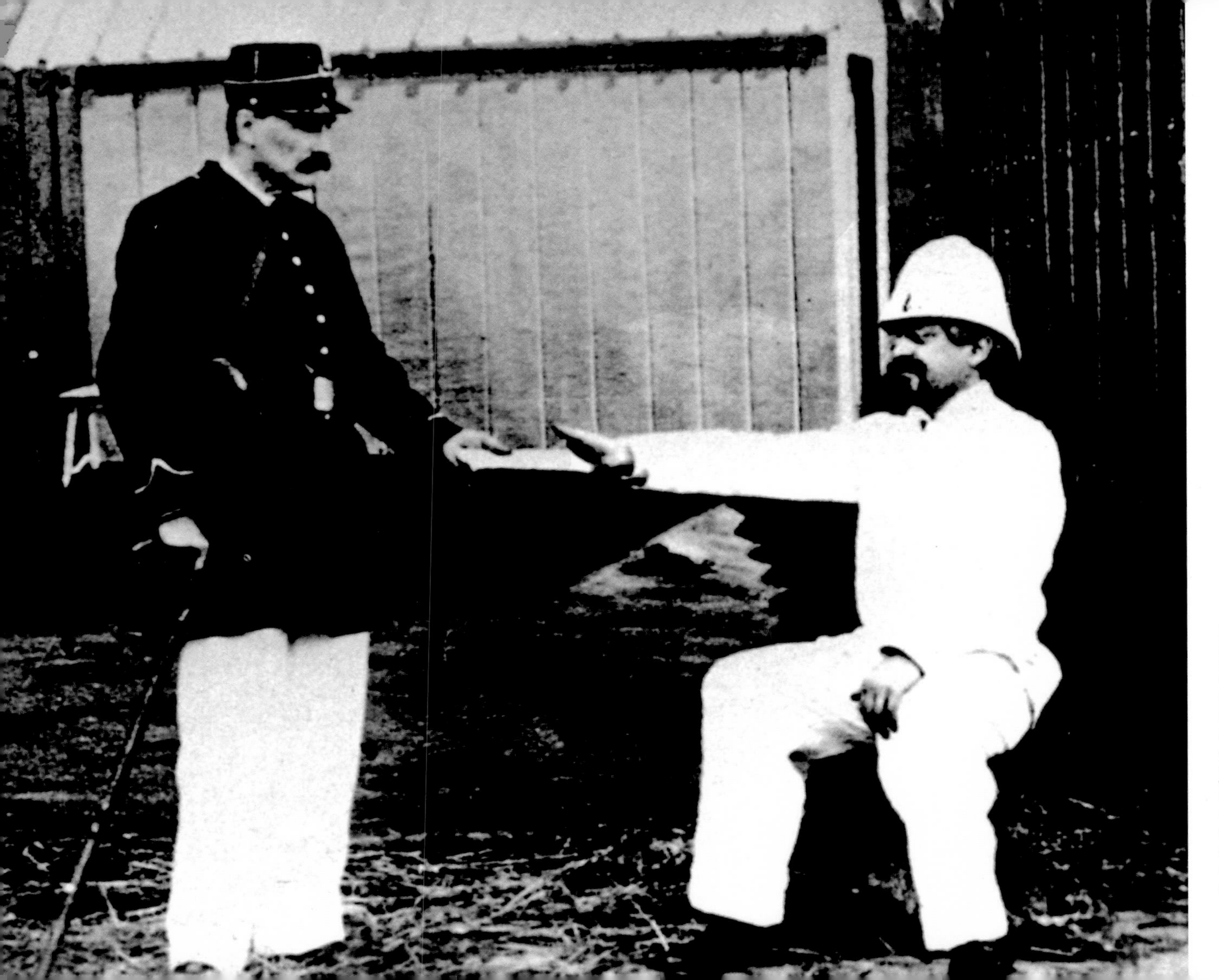

Deux des cinq « tableaux » sauvegardés du film de Georges Méliès. À gauche, la scène (imaginaire) d'une bagarre entre journalistes pendant le procès de Rennes. À droite, le capitaine Alfred Dreyfus (en blanc) en captivité devant sa case de l'île du Diable, au large de la Guyane.

THE GREAT TRAIN ROBE

1903 **1er** Western

L'ATTAQUE DU GRAND TRAIN

C'est à Paterson, dans le New Jersey, que la plupart des scènes du western intitulé *L'Attaque du grand train* ont été tournées à l'automne 1903 par son réalisateur Edwin S. Porter. Sa sortie fait grand bruit aux États-Unis en raison de la force inhabituelle de ses scènes d'action et de l'audace de sa réalisation à l'instar de ce plan où un cow-boy hors-la-loi pointe son arme en direction de la caméra et tire sans sommation. Le film raconte l'histoire de l'attaque d'un bureau télégraphique puis d'un fourgon postal, puis la course-poursuite qui s'ensuit et finalement l'arrestation des malfaiteurs.

Le film ne dure que douze petites minutes. Les exploitants avaient le choix de placer la scène du coup de feu sur la caméra au début ou à la fin.

Lors des toutes premières projections de *L'Attaque du grand train*, beaucoup de spectateurs crurent que Justus D. Barnes tirait véritablement sur eux.

Les prémices du cinéma américain

C'est la naissance d'un western digne de ce nom et de deux genres cinématographiques, le western et le film d'action, qui contribueront à faire la renommée du cinéma américain à travers le monde.

Le personnel d'un cinéma pose devant l'entrée. Dans beaucoup de salles, l'écran était composé d'un drap ou d'une toile de fortune.

Hall d'un cinéma aux États-Unis. Si le cinéma était permanent, la durée de chaque projection dépassait rarement les 20 minutes.

De nombreuses salles utilisèrent le nom de Nickelodéon, un terme synonyme, dans le langage populaire, de cinéma bon marché.

1905 1re Salle de cinéma permanent

NICKELODÉON

6 novembre 1905, 433-435, Smithfield Street, Pittsburgh, États-Unis. On fête aujourd'hui l'ouverture d'une nouvelle salle de spectacle baptisée « Nickelodéon » par ses deux propriétaires, l'impresario John P. Harris et son beau-frère, Harry Davis. D'une contenance de cent places, elle a la particularité totalement inédite à ce jour d'être ouverte de huit heures du matin à minuit pour projeter des films cinématographiques. Le ticket d'entrée ne coûte qu'un nickel, dont le cinéma tire son nom, autrement dit, la modique somme de cinq cents. En outre, et c'est également une grande première, toutes les projections bénéficient d'un accompagnement au piano. Le succès de ce cinéma permanent est immédiatement au rendez-vous.

5¢ STAR NICKELODEON 5
STAR NICKELODEON
ENTRANCE
ICE CREAM
REFINED
Entertainment
FOR
LADIES GENTLEMEN
& CHILDREN

James Stuart Blackton (avec la casquette) fut aussi acteur. Il lança la carrière hollywoodienne du comédien Victor McLaglen, qu'il avait repéré à Londres.

Un photogramme extrait de *Humorous Phases of Funny Faces*. L'un des cent vingt films ou dessins animés réalisés par Stuart Blackton entre 1898 et 1933.

1907

1er Dessin animé

JAMES STUART BLACKTON

L'Anglais James Stuart Blackton (1875-1941) est le premier opérateur de cinéma à utiliser le procédé de l'animation via le film. Journaliste et caricaturiste à l'origine, il découvre le cinéma en 1896 lors d'un entretien filmé avec Edison. Il effectue alors à la craie de rapides croquis à destination d'un public imaginaire. Deux ans plus tard, il fonde la compagnie Vitagraph. Il fait une découverte technique essentielle désormais connue sous le nom de « mouvement américain » : un tour de manivelle permet d'enregistrer une image, entre deux tours on déplace l'objet filmé et ainsi de suite. C'est en 1907 qu'il réalise son dessin animé le plus marquant, *The Haunted Hotel*.

1907

1er Film tourné à Hollywood
LE COMTE DE MONTE CRISTO

C'est encore une vaste étendue libre de toute construction, aux portes de Los Angeles. En cette année 1907, la future Hollywood n'est qu'une paisible banlieue où poussent de superbes orangers. Mais c'est ici que le metteur en scène Francis Boggs a décidé d'installer ses caméras pour tourner son nouveau film, *Le Comte de Monte Cristo,* une adaptation du célèbre roman français. Il a confié le rôle d'Edmond Dantès à un hypnotiseur de foire découvert sur place lors d'un spectacle. À sa sortie en 1908, le film connaît un grand succès public et son producteur, William Selig, décide de revenir en Californie et d'y installer définitivement ses activités cinématographiques. Il y prépare déjà son prochain film, *Au Pouvoir du sultan.* Cette fois, Hollywood est né.

Une vue aérienne des studios de Hollywood autour des années 1940. Les terrains vagues du début du siècle sont devenus la capitale mondiale du cinéma.

L'abbé Faria (interprété par le réalisateur Francis Boggs, à gauche) et Edmond Dantès (Hobart Bosworth, à droite) dans la prison du château d'If.

Mrs. Cullison (Marion Leonard), aussi terrorisée que ses trois filles. L'aînée est incarnée par Mary Pickford, la première star féminine d'Hollywood.

David Wark Griffith, assis au centre sur l'estrade avec sa canne et son chapeau blanc, donne ses ordres. Il réalisera par la suite *Intolérance*.

1909

1er Film de suspense *LONELY VILLA*

Si Alfred Hitchcock est le maître du suspense, son inventeur est un autre géant du cinéma : l'Américain David Wark Griffith, futur réalisateur du premier véritable film d'auteur. Le scénario de *Lonely Villa,* écrit par... le roi du burlesque Mack Sennett, se révèle d'une efficacité dramatique redoutable. Trois gangsters tentent de cambrioler un manoir luxueux. La maîtresse de maison et ses trois filles se barricadent dans un salon. Leur mari et père, absent des lieux mais prévenu du drame qui se joue, arrivera-t-il à temps pour les sauver ? Durant les 8 minutes de *Lonely Villa,* Griffith pousse à la perfection une technique qui fera fureur dans de nombreux films de suspense : le montage parallèle de deux actions simultanées avec, d'un côté, le héros qui roule à tombeau ouvert et, de l'autre, les bandits qui tentent d'enfoncer la porte. Idéal pour exprimer la tension et le tragique du compte à rebours...

1909

1er Long métrage social *L'ASSOMMOIR*

Le naturalisme d'Émile Zola avait marqué la littérature française de la fin du XIXe siècle. Il influence désormais les premières années du 7e Art. Le premier véritable long métrage réalisé en France est ainsi une adaptation de *L'Assommoir,* le septième volume – et l'un des plus célèbres – de la série des Rougon-Macquart. C'est aussi le premier film qui, pour paraphraser Zola, ait « l'odeur du peuple ». Dans la lignée de l'écrivain, le réalisateur Albert Capellani filme les « classes laborieuses ». Et, à travers la déchéance tragique de Gervaise, la blanchisseuse qui finira par mourir de faim, décrit les ravages de la misère et de l'alcoolisme – « L'Assommoir » étant le nom du débit de boissons où se déroule une bonne partie du roman puis du film, et le surnom de l'alambic producteur de mauvaise gnôle. En 1913, Capellani reviendra au film social, avec une adaptation à gros budget d'un autre best-seller de Zola, *Germinal*.

Gervaise (Eugénie Nau) tente de ramener à la raison son mari Coupeau (Alexandre Arquillière) sous le regard de son amant Lantier (Jacques Grétillat).

Albert Capellani (1870-1931), l'un des pionniers du cinéma français (de dos à gauche), dirige Eugénie Nau sur le tournage de *L'Assommoir*.

PATHÉ JOURNAL
6 Rue FRANCŒUR
Direction
ACTUALITÉS PARLANTES et SONORES

Septembre 1930, au Bourget. Les opérateurs Pathé filment le départ des aviateurs Dieudonné Costes et Maurice Bellonte pour New York.

Sur cette affiche publicitaire, les frères Charles et Émile Pathé sont représentés avec l'emblème de leur compagnie : un coq.

Charles Pathé (1863-1957) a commencé à faire des films dès 1894, après s'être procuré une caméra dans une fête foraine.

1909 1res

Actualités périodiques *PATHÉ FAITS DIVERS*

Si les reportages d'actualités ont existé sur les écrans dès les débuts du cinématographe, c'est la société Pathé qui, la première, le 31 mars 1909 à Paris, lance en première mondiale un véritable magazine périodique d'actualités. Sous le titre *Pathé Faits divers,* il offre chaque semaine aux spectateurs de nouvelles images en provenance du monde entier et ce grâce à une véritable armada d'opérateurs envoyés dans tous les pays. Catastrophes, émeutes, meurtres, procès et autres exploits sportifs, rien de ce qui fait sensation n'échappe aux envoyés de Pathé, lesquels ont pour slogan « À la conquête du monde ». Le cinéma désormais fait plus que distraire, il informe. Seuls la naissance et le développement de la télévision mettront à mal cette activité cinématographique à part entière.

Emile Cohl (1857-1938) prépare son petit théâtre de marionnettes sans fil avant le tournage du *Tout Petit Faust*.

Emile Cohl, entouré des « comédiens » du *Tout Petit Faust* en 1910. La même année, il tourne *Le Petit Chantecler* avec d'autres poupées.

1910 **1er** Film de marionnettes

LE TOUT PETIT FAUST

Pionnier du cinéma d'animation, Emile Cohl a expérimenté toutes les techniques : papiers découpés, cartes animées, gravures... Pour *Le Tout Petit Faust*, adaptation du célèbre roman de Goethe revu et corrigé par l'opéra de Gounod, l'ancien caricaturiste décide une nouvelle fois d'innover en utilisant des petites poupées. Faust, l'homme qui vend son âme au diable, sa fiancée Marguerite et le machiavélique Méphistophélès deviennent ainsi des marionnettes sans fil que Cohl et son équipe vont animer image par image : un processus complexe et fastidieux, dans lequel la position de chaque marionnette doit être modifiée, parfois d'un tout petit millimètre, à chaque prise de vue. Le procédé est devenu depuis un des plus fertiles du cinéma d'animation, encore utilisé aujourd'hui par le réalisateur américain Henry Selick (*James et la pêche géante, Coraline*...).

Le comte d'Essex (Lou Tellegen) s'agenouille devant sa grâcieuse majesté (Sarah Bernhardt). La richesse des costumes est un atout des « biopics ».

Sarah Bernhardt dans l'un de ses sept rôles au cinéma , après la *Dame aux Camélias* et *Hamlet* ! Sur le tournage, elle avait 68 ans. Elizabeth I est morte à 45 ans...

1912

1er « Biopic »

LES AMOURS DE LA REINE ELIZABETH

Le cinéma américain est un grand pourvoyeur de *biographic pictures* – les « biographies filmées », souvent édifiantes, qui racontent la vie des grandes personnalités d'hier et d'aujourd'hui. Pourtant, le premier des « biopics » n'est pas hollywoodien, mais français. En 1912, Henri Desfontaines et Louis Mercanton décident de porter à l'écran la vie d'Elizabeth I d'Angleterre, et notamment son histoire d'amour malheureuse avec le comte d'Essex. C'est la tragédienne Sarah Bernhardt qui, bien avant Bette Davis puis Cate Blanchett, incarne la « reine vierge » avec toute la pompe de son jeu théâtral. *Les Amours de la reine Elizabeth* obtient un grand succès aux États-Unis, grâce à une publicité très efficace qui pouvait faire croire aux spectateurs qu'ils allaient voir la comédienne française en chair et en os. Le distributeur du film, Adolf Zukor, en profitera pour devenir producteur d'adaptations théâtrales de prestige sous le slogan : « Des acteurs célèbres dans des pièces célèbres ».

1913

1er Péplum

QUO VADIS ?

New York, 21 avril 1913. Le réalisateur italien Enrico Guazzoni présente dans l'enthousiasme général sa superproduction en forme de véritable péplum : *Quo vadis ?* d'après le roman de l'écrivain polonais Sienkiewicz. Du péplum, le film a toutes les démesures. C'est ainsi le plus long métrage jamais présenté jusqu'à ce jour aux États-Unis. Et le prix des places est en conséquence : chaque ticket est vendu quatre fois plus cher que d'habitude. Plusieurs mois de tournage ont été nécessaires pour arriver à ce résultat impressionnant. Il a fallu que la production loue pas moins de vingt lions pour les scènes d'arènes et mobilise des foules importantes de figurants. Les producteurs savent maintenant que la Rome antique, ses jeux et ses combats, font les délices du grand public.

Lea Giuchi est Lygia, la jeune femme chrétienne dont tombe amoureux l'officier romain Vinicius.

Les scènes d'arènes dans le décor du *Circus Maximus* ont contribué au succès du film.

Une scène au Sénat de Rome. L'intrigue de *Quo Vadis ?* se déroule sous l'empire de Néron.

Le célèbre écrivain italien Gabriele D'Annunzio n'a pas écrit le scénario du film de Giovanni Pastrone. Seulement les intertitres...

Cabiria est la saga d'une fille de patricien enlevée par des pirates, vendue comme esclave à Carthage puis sauvée par un noble romain.

1914 1re Superproduction *CABIRIA*

En 1914, un film italien coûtait en moyenne 60 000 lires. Pour *Cabiria*, péplum à (très) grand spectacle signé Giovanni Pastrone, ce fut 1 250 000 lires. Vingt fois plus… La première superproduction de l'histoire réquisitionna 20 000 figurants, soit 5% de la population de Turin à l'époque. Les décors monumentaux (le temple de Moloch à Carthage), les scènes d'action dantesques (l'éruption de l'Etna, la flotte romaine incendiée par des miroirs ardents) firent forte impression sur le public des années 1910… et sur les collègues cinéastes de Pastrone. L'Américain David Wark Griffith s'en inspira pour réaliser son film-fleuve *Intolérance*.

La première apparition de Maciste

Cabiria marque l'invention d'un personnage appelé à une brillante carrière dans les péplums des années 1950 et 1960 : Maciste, l'esclave aux gros muscles et au grand cœur. Il est incarné par le géant Bartolomeo Pagano, un ancien docker du port de Gênes barbouillé de noir pour le rôle.

1915 1er Film d'auteur

NAISSANCE D'UNE NATION

« C'est une page fulgurante d'Histoire et tout y est vrai » a déclaré le président des États-Unis, Woodrow Wilson, après la projection à la Maison blanche du nouveau film de David Wark Griffith, *Naissance d'une nation*. D'une durée exceptionnelle de 180 minutes, cette fresque revient sur les conflits engendrés par la guerre de Sécession, avec notamment la question de l'esclavage des Noirs. Parce qu'il porte à la fois un propos très fort et une esthétique affirmée, le film de Griffith inaugure véritablement la lignée des films d'auteur. Cependant, l'Association nationale pour le progrès des gens de couleur (NAACP) fait signer une pétition contre *Naissance d'une nation* l'accusant de racisme. Le fait qu'il ait déclenché de très fortes polémiques renforce ce statut de film à part au sein de la production habituelle.

Le chef-d'œuvre de David W. Griffith rend hommage aux soldats confédérés du Sud lors de la Guerre de Sécession et reconstitue l'assassinat du président Abraham Lincoln.

Naissance d'une nation fut critiqué pour sa vision idéaliste du mouvement raciste du Ku Klux Klan, responsable du lynchage de nombreux Noirs.

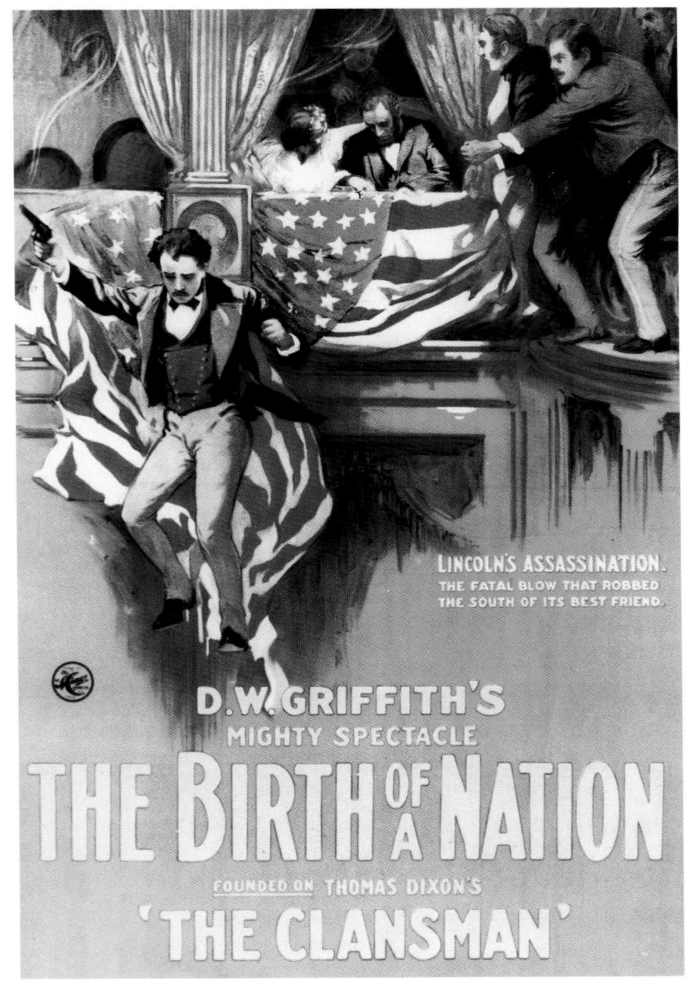
LINCOLN'S ASSASSINATION.
THE FATAL BLOW THAT ROBBED
THE SOUTH OF ITS BEST FRIEND.
D.W. GRIFFITH'S
MIGHTY SPECTACLE
THE BIRTH OF A NATION
FOUNDED ON THOMAS DIXON'S
'THE CLANSMAN'

Sacha Guitry et Auguste Renoir dans l'atelier du peintre en 1915. L'auteur du *Déjeuner sur l'herbe* mourra quatre ans plus tard.

Sacha Guitry avec la tragédienne Sarah Bernhardt. Le réalisateur a également filmé son père, le comédien Lucien Guitry.

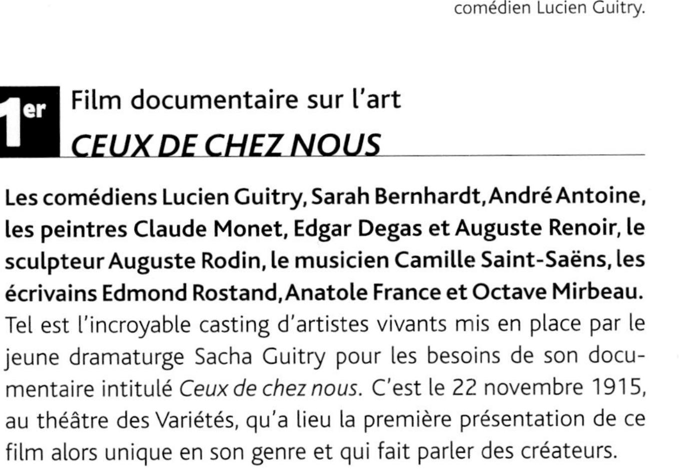

1915

1er Film documentaire sur l'art

CEUX DE CHEZ NOUS

Les comédiens Lucien Guitry, Sarah Bernhardt, André Antoine, les peintres Claude Monet, Edgar Degas et Auguste Renoir, le sculpteur Auguste Rodin, le musicien Camille Saint-Saëns, les écrivains Edmond Rostand, Anatole France et Octave Mirbeau. Tel est l'incroyable casting d'artistes vivants mis en place par le jeune dramaturge Sacha Guitry pour les besoins de son documentaire intitulé *Ceux de chez nous*. C'est le 22 novembre 1915, au théâtre des Variétés, qu'a lieu la première présentation de ce film alors unique en son genre et qui fait parler des créateurs.

Un témoignage précieux

La dimension patriotique de cette œuvre tournée en pleine guerre a désormais laissé la place à un témoignage irremplaçable sur l'art et les artistes de l'époque, à travers une œuvre fondatrice d'un véritable courant cinématographique.

1915 — 1er

Nu féminin intégral à l'écran *INSPIRATION*

Si des maisons closes offraient dès 1897 des petits films pornographiques à leurs clients en guise de préliminaires, les spectateurs devront attendre 1915 pour qu'une femme apparaisse intégralement nue sur l'écran d'une salle de cinéma « grand public ». Modèle de nus réputée avant ses débuts à Hollywood, Audrey Munson interprète justement une modèle qui obsède un jeune sculpteur dans *Inspiration*. Contre toute attente, le court métrage de George Foster Platt est distribué sans coupes – le comité de censure, pour une fois d'une grande sagesse, estimant que si *Inspiration* devait être interdit, il faudrait alors bannir tout l'art de la Renaissance... Comme il se doit, le film obtient un grand succès, dont ne profitera guère la pauvre Audrey Munson. Après seulement trois autres apparitions au cinéma, elle sombrera dans la paranoïa. Et sera internée dans un hôpital psychiatrique pendant soixante-cinq ans...

Audrey Munson a 24 ans quand elle est choisie par le producteur Edwin Tanhouser pour incarner le « modèle parfait » d'*Inspiration*.

Les affiches publicitaires d'*Inspiration* insistaient sur la dimension « artistique » du film…

Des opérateurs cernés par les bombes. En filmant des scènes de batailles, de nombreux techniciens perdirent la vie.

Un opérateur du cinématographe, muni de l'indispensable caméra à trépied, filme un avion de combat au décollage.

Un cinéma aux États-Unis, en 1918. La devanture fait la promotion des « scènes de guerre » projetées à l'intérieur.

1915 1ers

Opérateurs de guerre pour le cinématographe
LES ACTUALITÉS AU PÉRIL DE LEUR VIE

Les premières photos de batailles remontent à la guerre de Crimée, en 1855. Mais les premières images filmées de combats ont été tournées en 1915, dans les tranchées. Pour les producteurs des actualités filmées, impossible de ne pas montrer la guerre où sont mobilisés des millions de Français. Des opérateurs civils sont donc envoyés près de la ligne de front, parfois au péril de leur vie. Et des soldats troquent leur fusil pour une caméra avec la bénédiction de l'état-major, conscient que le cinéma est la plus efficace des armes de propagande. Toutes les bobines sont passées au filtre de la censure militaire, pour éviter que des images trop violentes n'encouragent le défaitisme ou le pacifisme. Si les premiers opérateurs de guerre étaient des anonymes, on compte quelques célébrités parmi leurs successeurs lors du second conflit mondial : John Huston réalisa un documentaire sur la bataille de San Pietro, en Italie. Et John Ford fut blessé en filmant le raid des avions japonais sur Midway !

Olaf Fonss, un acteur danois, incarne Homunculus : une créature qui, après avoir découvert qu'elle ne pouvait pas aimer, se venge de l'humanité en devenant un tyran.

1916

1er Robot *HOMUNCULUS*

Le monde est en guerre, le machinisme est à l'œuvre, l'angoisse est collective : le cinéma invente son premier robot au beau milieu de ce chaos. C'est en 1916 en effet que sortent sur les écrans les six épisodes du film du cinéaste allemand Otto Rippert, écrit par Robert Reiner, *Homunculus*. Pur produit de la recherche expérimentale, il s'agit d'un personnage artificiel tout entier conduit par la haine et la violence. Politiquement, il semble même préfigurer Hitler et le totalitarisme nazi. D'un point de vue artistique, il s'inspire de légendes scandinaves, mais surtout, il est l'ancêtre balbutiant de la future Créature monstrueuse inventée par le cerveau mégalomane du docteur Victor Frankenstein.

Charles Chaplin en Don José, rebaptisé Darn Hosiery et vêtu comme un cadet de Saint-Cyr, face à Carmen (Edna Purviance).

Charles Chaplin au milieu des cigarières de Séville. Le film se moque avec brio de l'opéra de Georges Bizet.

Charles Chaplin dans sa tenue plus « classique » de Charlot. En 1916, l'acteur-réalisateur tourne également *Charlot pompier* et *Charlot musicien*.

1916

1er Film parodique *CHARLOT JOUE CARMEN*

Avec *Charlot joue Carmen*, Charles Chaplin, « l'as des comiques » comme le proclame la publicité, se moque joyeusement du célèbre opéra de Georges Bizet en jouant un Don José de pacotille face à une Carmen aguichante et frétillante. Un détournement qui fait date dans l'histoire du divertissement : désormais tout devient possible dans l'art délirant de la parodie, comme le confirmera peu après Max Linder, notamment, avec *L'Étroit Mousquetaire,* d'après Dumas. Paradoxalement, ce film fait l'objet d'un débat beaucoup plus sérieux : Chaplin est en procès contre son producteur qui, sans l'autorisation du cinéaste, a ajouté des scènes au montage final pour accroître la durée du film. Chaplin est débouté par la justice américaine, mais veillera à partir de là à signer des contrats qui protègent mieux ses droits de cinéaste.

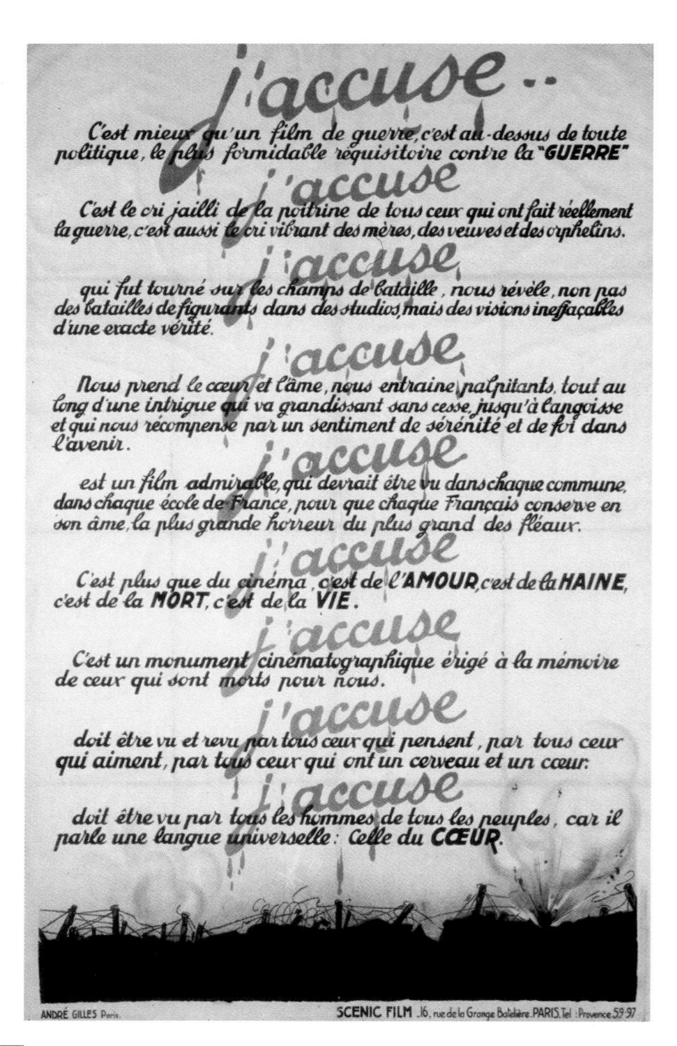

La scène la plus traumatisante de *J'Accuse*. Tels des zombies, les cadavres des « poilus » sortent de leur tombe pour hanter les profiteurs de guerre.

L'acteur Séverin-Mars (1873-1921) joue le rôle du soldat François Laurin. Il rejouera sous la direction d'Abel Gance dans *La Roue*.

1918 **1er** Film impressionniste

J'ACCUSE

Produit par Charles Pathé et le Service cinématographique des Armées, *J'Accuse*, le nouveau film d'Abel Gance, véritable réquisitoire contre la guerre et plaidoyer pacifiste, est découpé en trois époques. C'est la dernière qui donne au film sa force et sa notoriété tout en lui assurant un statut artistique totalement spécifique : les cadavres des soldats de la Grande Guerre sortent de leurs tombes et retournent chez eux pour terroriser ceux qui ont lâchement profité de la guerre pour s'enrichir. Une vision totalement surréaliste qui glace d'effroi les spectateurs. *J'Accuse* n'est pas seulement une œuvre de combat et de conviction, il s'impose comme un grand poème sombre et lyrique. Le poète Blaise Cendrars n'a-t-il pas d'ailleurs participé à l'élaboration du montage final du film auprès d'Abel Gance ? On peut ainsi parler d'impressionnisme cinématographique.

Le réalisateur Scott Sidney (deuxième à gauche) sur le tournage de *Tarzan chez les singes*, avec Elmo Lincoln (troisième à droite).

Johnny Weissmuller, le plus célèbre Tarzan de l'histoire, tournera douze aventures de l'homme singe.

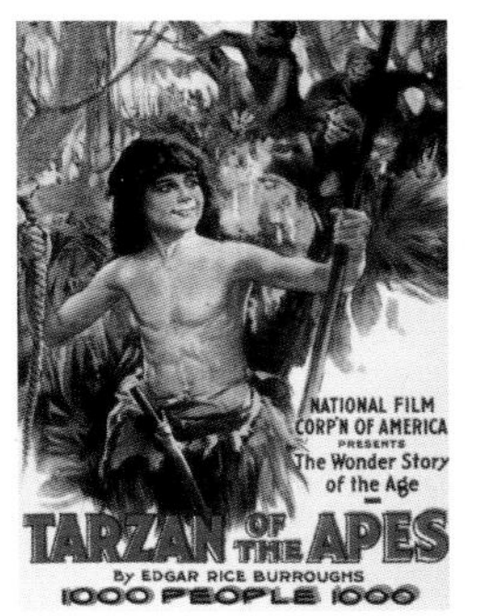

1918 1er

Tarzan

TARZAN CHEZ LES SINGES

1918, c'est incontestablement l'année Tarzan ! Les spectateurs de l'époque purent découvrir presque au même moment les deux premières aventures de l'homme singe sur grand écran. Scott Sidney signe *Tarzan chez les singes* avec Elmo Lincoln, tandis que Wilfrid Lucas présente son *Roman de Tarzan,* toujours avec Elmo Lincoln. S'ensuivront de multiples films, au moins une cinquantaine, sans compter des déclinaisons dans des genres cinématographiques fort divers : dessins animés, parodies, érotiques, pornographiques, etc. De nombreux acteurs incarneront par conséquent l'homme-singe, mais c'est Johnny Weissmuller, ancien champion olympique de natation, dont le nom restera synonyme de Tarzan pour la postérité.

1920

1er Film de cape et d'épée *LE SIGNE DE ZORRO*

En 1919, l'écrivain Johnston McCulley invente le personnage de Zorro (« renard » en espagnol), un aristocrate mexicain qui vole au secours de la veuve et de l'orphelin le visage dissimulé derrière... un « loup » noir. Il ne faut pas un an à Hollywood pour porter à l'écran ce personnage séduisant, et inventer au passage le film de cape et d'épée. Douglas Fairbanks prête son énergie bondissante au héros masqué dans *Le Signe de Zorro,* de Fred Niblo. Les spectaculaires combats à l'épée opposant le héros aux soldats de l'odieux capitaine Ramon vont largement contribuer au succès du film... et à la carrière de Fairbanks qui montrera à nouveau ses talents de bretteur dans *Les Trois Mousquetaires* et *Robin des Bois.* Des films qui, comme *Le Signe de Zorro,* connaîtront de nombreux remakes dans le monde entier.

Du renard à la chauve-souris

Le dessinateur Bob Kane s'est inspiré du *Signe de Zorro* pour créer Batman, millionnaire pleutre le jour et justicier déguisé en chauve-souris la nuit.

Zorro face au sergent Gonzales (Noah Beery), rebaptisé « Sergent Garcia » dans la célèbre série télévisée des années cinquante.

Zorro (Douglas Fairbanks) et le capitaine Ramon (Robert McKim) en combat très singulier pour les beaux yeux de Marguerite de la Motte (Lolita Pulido).

Noah Beery (à droite, en sergent Gonzales) était le frère aîné de Wallace Beery, star hollywoodienne des années vingt et trente.

Maurice Tourneur (à droite), sur le plateau de *L'Île au trésor.* Il a également réalisé *Le Dernier des Mohicans* et *L'Île mystérieuse.*

Jim Hawkins face à un pirate. L'adolescent du roman de Stevenson est interprété par... une actrice, Shirley Mason, alors âgée de 20 ans.

Charles Ogle incarne Long John Silver, le pirate qui prend Jim sous son aile pour mieux découvrir le trésor du capitaine Flint.

1920 | 1er

Film d'aventures

L'ÎLE AU TRÉSOR

Le premier film d'aventures est américain, mais son origine est européenne : l'auteur de l'histoire originale était écossais et le réalisateur français. Maurice Tourneur, l'un des pionniers du 7e Art dans l'Hexagone, avait été envoyé aux États-Unis pour diriger la filiale des productions Éclair. En 1920, il produit et réalise l'adaptation de *L'Île au trésor,* le best-seller de Robert Louis Stevenson. Au programme : des bateaux, des îles tropicales (reconstituées en studio), des combats et, surtout, des pirates, appelés à connaître une longue vie à Hollywood. Le roman de Stevenson a, depuis, été adapté une bonne cinquantaine de fois au cinéma ou à la télévision avec, dans le rôle haut en couleurs du machiavélique Long John Silver, des acteurs aussi célèbres que Orson Welles ou Charlton Heston. On compte même une *Île au trésor* animée produite au Japon et même... une version avec les marionnettes du *Muppet Show* !

Nathalie Lissenko et Ivan Mosjoukine dans *L'Angoissante Aventure*, un long métrage tourné en Turquie puis dans plusieurs ports méditerranéens.

D'escale en escale, le tournage de *L'Angoissante Aventure* a pu bénéficier d'une multitude de décors enchanteurs, même si le film ne dure que 47 minutes.

Ivan Mosjoukine (à gauche) fut l'une des grandes stars du cinéma muet, en Russie puis en France. Sa carrière ne résistera pas à l'arrivée du parlant.

1920 **1er** Film de « L'École russe »

L'ANGOISSANTE AVENTURE

Jakov Protazanov était considéré comme le plus grand cinéaste de la Russie tsariste. Réfugié à Yalta aux débuts de la révolution bolchevik, il décide de s'exiler en 1920. Embarqué sur un cargo avec ses comédiens, il profite de la traversée de la mer Noire puis de ses escales en Méditerranée pour tourner un scénario improvisé au jour le jour, et qu'il achève à son arrivée en France. *L'Angoissante Aventure*, l'odyssée entre aventures et thriller d'un jeune aristocrate victime d'une femme fatale, devient ainsi le film fondateur de l'« École russe » dite « de Montreuil » – Protazanov a retrouvé son producteur Joseph Ermaliev dans cette commune de la banlieue parisienne où il a acquis un studio. Ils sont rejoints par les réalisateurs Alexandre Volkoff et Victor Tourjansky, avant que la troupe parte s'installer à Berlin en 1922. Non sans avoir durablement influencé le cinéma français par leurs œuvres audacieuses, qui associent romantisme noir et réalisme psychologique.

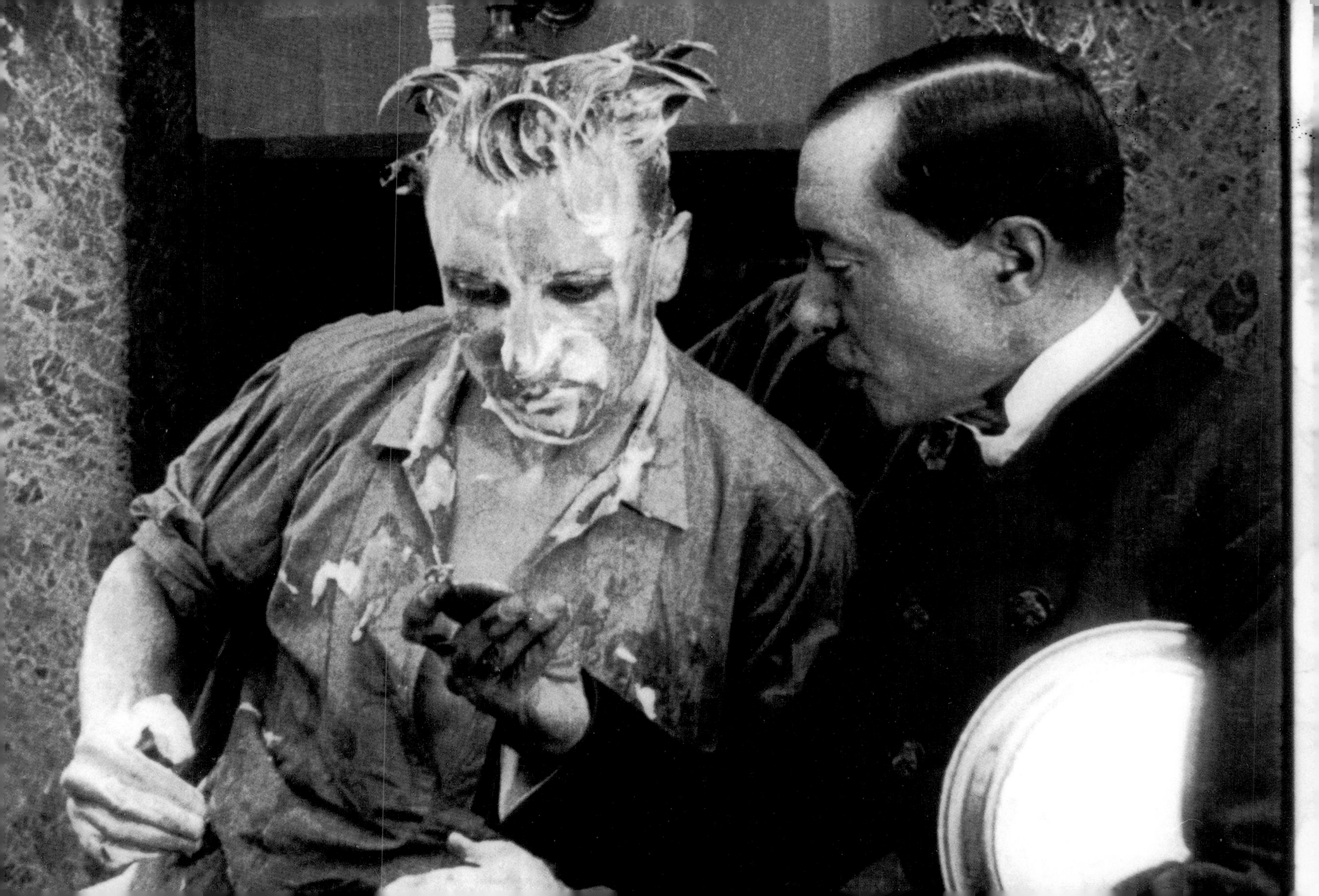

Lil Dagover dans *Le Cabinet du Docteur Caligari*. Le film de Robert Wiene prend bien souvent des allures de cauchemar éveillé.

Le maléfique Docteur Caligari (Werner Krauss). Le travail approfondi sur les ombres est une constante du cinéma expressionniste.

Cesare (Conrad Veidt), le somnambule manipulé. Les décors sont la manifestation des troubles psychiques des personnages du film.

1920

1er Film expressionniste *LE CABINET DU DOCTEUR CALIGARI*

Écrit par Hans Janowitz et Carl Meyer et réalisé par Robert Wiene, *Le Cabinet du Docteur Caligari* fait l'effet d'une bombe artistique dans le paysage du cinéma allemand. Les décors du film reprennent la tradition expressionniste du Théâtre de Munich de Georg Fuchs : les rues sont stylisées, les maisons et les éléments architecturaux sont de travers, les ombres et les lumières s'opposent dans des contrastes radicaux. C'est le peintre et décorateur Hermann Warm qui est le concepteur de cet univers fantasmatique et totalement novateur. Tout est fait pour rendre la folie du narrateur dans cette histoire incroyable dans laquelle se mêlent somnambule homicide et asile d'aliénés. L'ensemble s'éloigne résolument des canons artistiques de l'époque fondés sur la reconstitution minutieuse et le réalisme. Un courant cinématographique vient de prendre forme dans cette Allemagne en pleine mutation.

Le comte Orlok, alias le vampire (Max Schreck) a quitté les Carpates. Il est le passager clandestin d'un bateau dont les rats vont bientôt propager la peste à Brême…

Max Schrek dans l'admirable scène finale de *Nosferatu* : le vampire est foudroyé par la lumière du petit matin. En allemand, le mot *Schrek* signifie « terreur »…

1922 1er

Dracula

NOSFERATU LE VAMPIRE

Librement adapté du roman de Bram Stoker intitulé *Dracula*, un nouveau film du cinéaste allemand Friedrich Wilhelm Murnau fait sensation : *Nosferatu le vampire* raconte l'histoire d'un vampire qui quitte son château des Carpates et son cercueil pour terroriser les habitants d'une paisible cité. Le film est explicitement sous-titré lors de sa sortie : « une étrange symphonie de la terreur ». On sent nettement l'influence de l'expressionnisme dans cette œuvre qui multiplie les angles de vue décalés, les ombres et les reflets, sans pour autant délaisser totalement le réalisme des décors intérieurs notamment. C'est l'acteur Max Schreck qui, parfaitement maquillé, incarne à la perfection ce génie du mal avec son crâne chauve, ses ongles effilés, sa silhouette voûtée, ses oreilles pointues et ses yeux inquiétants. Une figure cinématographique est née qui trouvera dans le Comte Dracula des films suivants son héritier plus policé peut-être mais tout aussi malfaisant.

NOSFERATU
EINE SYMPHONIE DES GRAUENS
REGIE:
F.W.MURNAU
MANUSCRIPT:
HENRIK GALEEN
PHOTOGRAPHIE:
F.A.WAGNER
KOSTÜME u. BAUTEN:
A.GRAU
MUSIK: Dr. ERDMANN
PRANA-FILM
BERLIN·LEVETZOW-STR.15·MOAB.6233.
Der neue Großfilm
der PRANA-FILM G.m.b.H.

Une femme du Moyen Age prépare un breuvage magique censé rendre amoureux les hommes d'Eglise. Dans la scène suivante, un gros moine qui en a bu se transforme en satyre...

Le Diable dans deux de ses nombreuses et spectaculaires apparitions. Satan est interprété par le réalisateur Benjamin Christensen lui-même...

1922

1er Essai cinématographique

HAXÄN - LA SORCELLERIE À TRAVERS LES ÂGES

Aujourd'hui, un film aussi hybride serait qualifié de « docu-fiction ». En 1922, le Danois Benjamin Christensen fut le premier à mélanger scènes documentaires et reconstitutions fictives. *Haxän* se présente comme une enquête sur la sorcellerie de l'Antiquité à nos jours via ses représentations dans l'art et ses manifestations les plus spectaculaires : des acteurs que l'on pourrait croire possédés incarnant un gros moine qui se transforme en satyre, des religieuses médiévales en transe satanique, des sorcières qui baisent les fesses du diable... Le tout dans des images fiévreuses, qui empruntent autant aux « Caprices » de Goya qu'aux gravures fantastiques de Rodolphe Bresdin. Dans sa dernière partie, l'essai cinématographique tourne au pamphlet contre les superstitions et l'obscurantisme. Qu'ils soient du XVe siècle (le film dresse un inventaire terrifiant des tortures pratiquées par la Sainte Inquisition) ou du XXe...

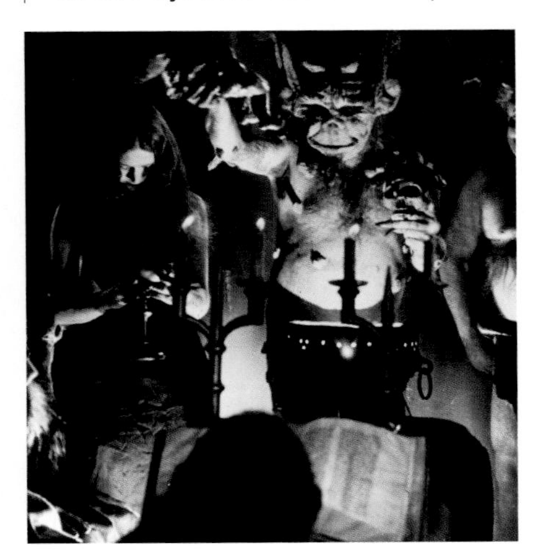

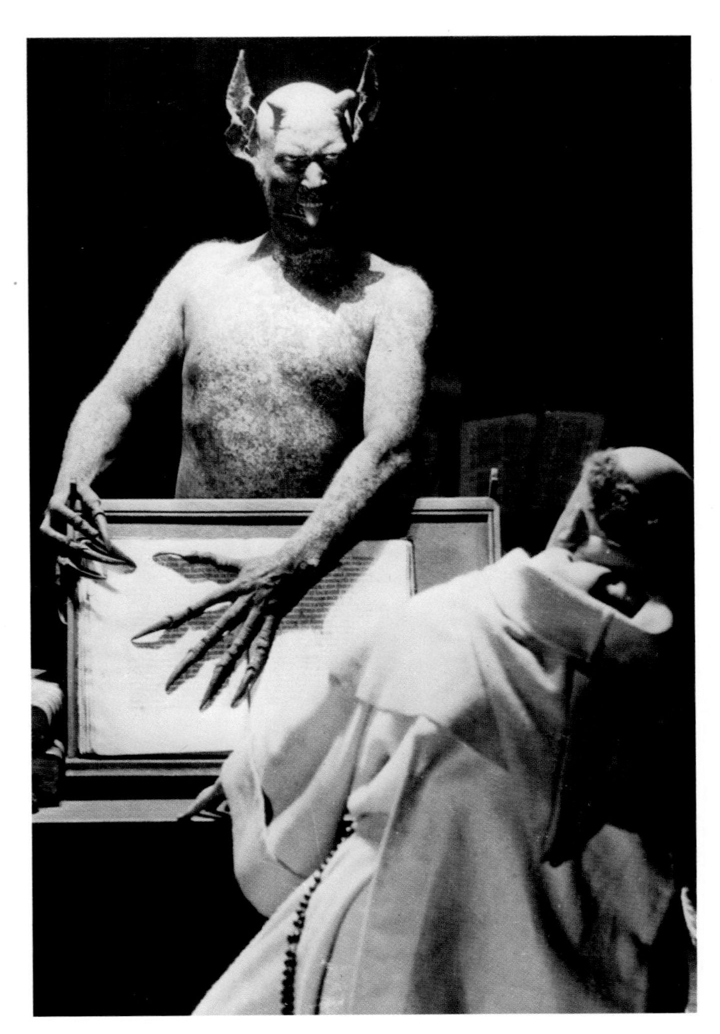

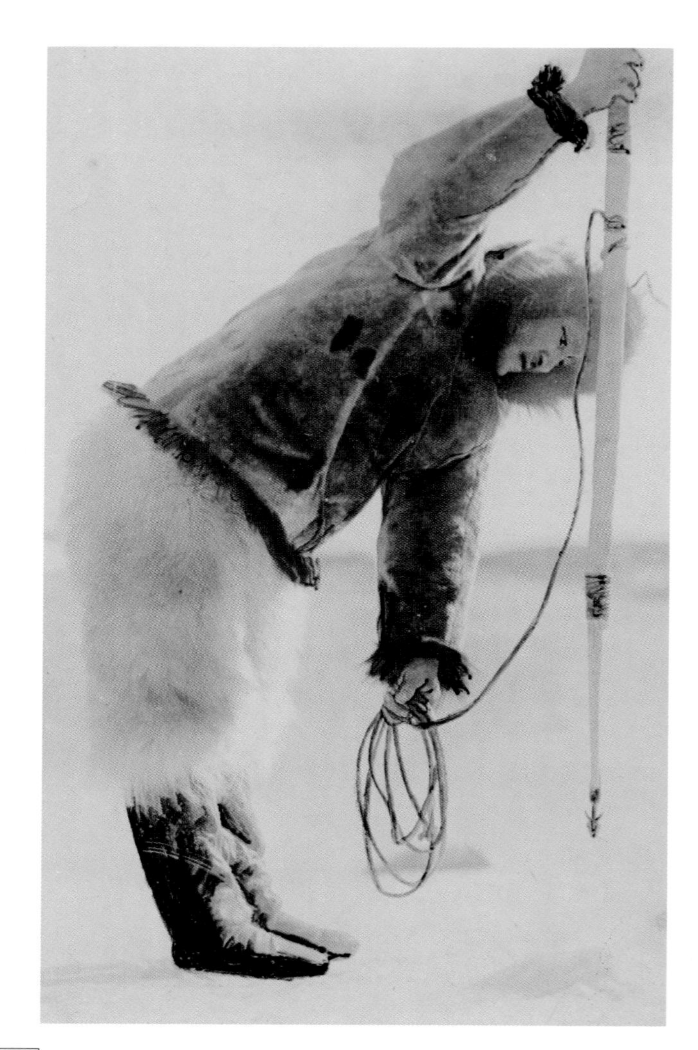

Nanouk pêchant à travers la banquise (à gauche) et avec sa famille. Le gentil Inuit est mort dans une tempête de neige deux ans après la sortie du film.

Une scène de *Nanouk l'Esquimau*. Flaherty est également l'auteur de *L'Homme d'Aran* et de *Louisiana Story*.

1922 **1er** Film documentaire

NANOUK L'ESQUIMAU

Si, dès sa naissance, le cinématographe a exploré les voies du réel, on peut cependant affirmer que le film du réalisateur et explorateur Robert Flaherty, *Nanouk l'Esquimau*, donne au documentaire sa première véritable manifestation artistique. En combinant avec brio des préoccupations tout à la fois humanistes, poétiques et ethnologiques, Flaherty propose au public d'aller à la rencontre d'une famille d'Esquimaux vivant dans le Grand Nord canadien. Le financement de ce film pas comme les autre a été en grande partie assuré par la contribution financière de la marque française Revillon, spécialisée dans le commerce des... fourrures !

Une nouvelle exigence

Pour la première fois, le cinématographe filme des réalités méconnues à travers le regard de celles et de ceux qui en sont les actrices et les acteurs au quotidien. On est loin par conséquent d'un quelconque voyeurisme ou d'un exotisme de pacotille. L'exigence documentaire fait désormais partie intégrante du monde du cinéma.

Greta Garbo dans son premier grand rôle hors de sa Suède natale. En Allemagne, en attendant Hollywood.

La Rue sans joie marque un retour vers le réel après les expériences formelles radicales de l'expressionnisme.

Georg Wilhelm Pabst (à gauche de la caméra) est également le réalisateur de *Loulou*, avec Louise Brooks.

1925 **1er** Film de la « nouvelle objectivité »

LA RUE SANS JOIE

« Nouvelle objectivité » : tel est le nom d'un nouveau et important courant du cinéma allemand qui entend se démarquer de l'expressionnisme jugé trop éloigné du réel tant sur la forme que sur le fond. C'est à un jeune réalisateur, Georg Wilhelm Pabst, que l'on doit le premier film de cette nouvelle école cinématographique. Intitulé *La Rue sans joie,* il raconte le difficile parcours de Greta Rumfort, une séduisante jeune femme qui tente d'échapper à la misère sans tomber dans la prostitution. Cette Greta est incarnée par une autre Greta : Garbo la Suédoise qui s'impose comme une actrice de talent moins d'un an après la sortie de son premier film en Suède, *La Légende de Gösta Berling*. Pabst décrit avec beaucoup de détails la vie quotidienne à Vienne en ce début de siècle, entre ombres et lumières. Un film « pas comme les autres » qui, à ce titre, sera montré lors de l'inauguration d'une future salle de cinéma mythique, le Studio des Ursulines, à Paris.

Une cinéaste aux multiples talents

« La maîtresse des ombres » (l'expression est de Jean Renoir) perfectionna son art du papier découpé jusque dans les années soixante. Elle tourna un second long métrage (*La Chasse au bonheur* en 1930), et se spécialisa ensuite dans les films courts, fictions et... publicités !

Long métrage d'animation
LES AVENTURES DU PRINCE AHMED

Des ombres à la lumière. Après deux années passées à découper des milliers de silhouettes en papier puis à les photographier à la manière du théâtre en ombres chinoises, la jeune Allemande Lotte Reiniger termine en 1926 la réalisation des *Aventures du prince Ahmed*. Une heure et cinq minutes de féerie et de poésie, entre *Contes des Mille et une nuits* et mythologie allemande, pour aboutir au premier long métrage d'animation de l'histoire du cinéma. Aussi merveilleux que *Princes et princesses,* de Michel Ocelot (le père de *Kirikou*), mais avec soixante-quinze ans d'avance.

Des ombres chinoises et une pellicule teintée pour un voyage fantastique dans le Bagdad des *Mille et une nuits*. Exotisme colonial des années vingt en prime.

Au fil de ses aventures extraordinaires, le prince Ahmed croise un mage africain cruel, une sorcière débonnaire et, bien sûr, des princesses...

1er Film de montage

LA CHUTE DE LA DYNASTIE DES ROMANOV

Choisir et monter ensemble des archives visuelles et sonores pour en faire un film : telle est la définition du film de montage. Cette forme particulière du film documentaire voit le jour en 1927 quand, en Union soviétique, Esther Choub présente *La Chute de la dynastie des Romanov* qui revient sur un moment essentiel de l'histoire de l'ancienne Russie. Il s'agit en l'occurrence d'un montage d'archives entre 1912 et 1917 qui décrivent la vie de la famille du Tsar russe et montrent les contradictions de la société pré-révolutionnaire en évoquant la vie quotidienne dans les villages, les usines, les milieux bourgeois, militaires et capitalistes. C'est au cours de l'été 1926 que la cinéaste russe a recherché à Saint-Pétersbourg des images d'archives de la famille Romanov : des 60 000 mètres d'archives consultées, elle en retient 5 000 pour réaliser son film de montage. Beaucoup d'autres suivront dans l'histoire du cinéma mondial et certains, à l'instar de *Nuit et brouillard* d'Alain Resnais ou *Un spécialiste* de Rony Brauman et Eyal Sivan, feront date.

Le tsar Nicolas II, sa femme Alexandra, leurs quatre filles Olga, Tatania, Maria et Anastasia, et leur fils Alexis.

La prise du palais d'Hiver à Saint-Pétersbourg, un épisode clé de la Révolution russe en octobre 1917.

La visite d'État du président de la République française Raymond Poincaré en Russie en juillet 1914.

Le robot féminin est la figure emblématique de *Metropolis*, elle est l'œuvre du savant fou Rotwang (Rudolf Klein-Rogge, à droite).

1927

1er Film de science-fiction *METROPOLIS*

C'est le 10 janvier à Berlin qu'est présenté pour la première fois le nouveau film de Fritz Lang, *Metropolis*, devant 2 500 invités prestigieux dont le chancelier Wilhelm Marx et plusieurs ministres. L'action du film se situe en l'an 2000 dans une cité gigantesque baptisée Metropolis. Le scénario, écrit par Fritz Lang et son épouse Thea von Harbou, multiplie les audaces visionnaires sur le machinisme, les révoltes sociales, la robotisation, le totalitarisme et l'urbanisation à outrance. De fait on peut parler à son sujet du premier film de science-fiction et d'anticipation. D'un pur point de vue cinématographique, Fritz Lang a en outre développé de nombreux procédés de trucages pour mener à bien des scènes qui sont autant de performances visuelles. De très nombreuses maquettes seront ainsi utilisées pour reconstituer des décors urbains et industriels aux dimensions pharaoniques.

Sur le tournage de *Metropolis*. Dans les studios de la Ufa, Fritz Lang dirige la grande scène de l'inondation de la « ville basse ».

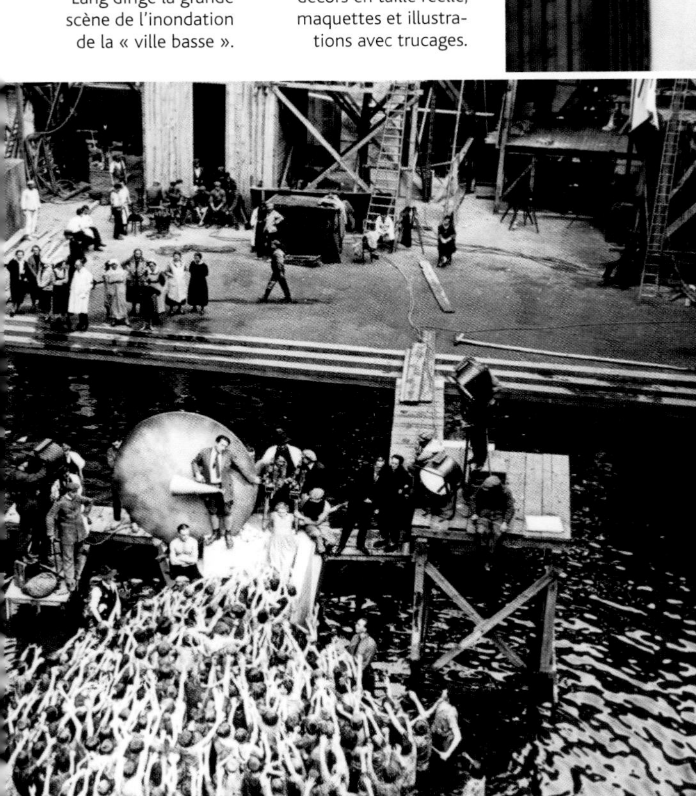

Une vue spectaculaire de la « ville haute ». Les images mélangent décors en taille réelle, maquettes et illustrations avec trucages.

IN
JAZZ SINGER
VITAPHONE
2.30 TWICE DAILY 8.45
Sunday Matinees 3.P.M.
ARNERS' THEATRE
WARNERS'
AL JOLSON
"THE JAZZ SINGER"
LINGERIE HOSIERY
WORLD SE
MATINEE
FLETCHER

1927

1er Film parlant
LE CHANTEUR DE JAZZ

La Warner Bros, société de production américaine, a fait du film parlant son cheval de bataille depuis plusieurs mois déjà, avec des essais plus ou moins concluants, y compris lors de séances publiques. Mais la présentation devant un public enthousiaste du film *Le Chanteur de jazz* au Warners' Theatre de New York le 6 octobre 1927 marque une étape décisive dans la fin du muet. Le scénario du film, écrit par Samson Raphaelson, raconte l'histoire mélodramatique du fils d'un chantre de synagogue qui épouse le jazz et la chanson populaire au grand dam de son père. On se précipite donc pour voir et surtout entendre la vedette du film, Al Jolson, déjà très connu pour ses interprétations de Gershwin. Les paroles de la chanson « Blue Skies » sont les premières jamais entendues dans un cinéma et font par conséquent l'effet d'une bombe. Désormais, il y aura un avant et un après *Le Chanteur de jazz*.

La grande foule devant le Warners' Theatre de New York, la salle de cinéma qui, la première, projeta l'image et le son du *Chanteur de Jazz*.

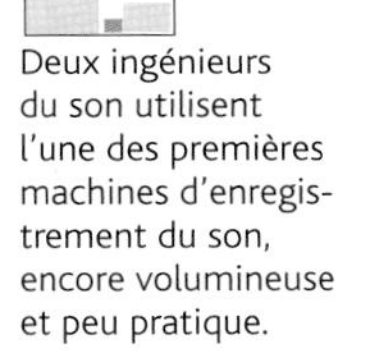

Deux ingénieurs du son utilisent l'une des premières machines d'enregistrement du son, encore volumineuse et peu pratique.

D'origine lituanienne, Al Jolson était une star de Broadway quand il fut choisi pour interpréter un chanteur de jazz grimé de noir.

Abel Gance aimait multiplier les audaces visuelles, comme la projection de trois scènes simultanées ou les surimpressions de plusieurs images dans le même plan.

Albert Dieudonné reprendra le rôle de Napoléon dans *Madame Sans-Gêne,* de Roger Richebé, face à Arletty.

1927 1er

Film projeté simultanément sur plusieurs écrans

UN, DEUX, TROIS ÉCRANS !

14 novembre 1927 : la foule se presse nombreuse devant le cinéma Marivaux à Paris pour la première publique du film événement d'Abel Gance, *Napoléon,* dans sa version longue. Avant même d'être sur les écrans, le film a accumulé les records et les premières : 450 000 mètres de pellicule utilisés pendant le tournage pour un montage final qui en utilise 15 000 et qui a nécessité un an de travail, près d'une vingtaine de caméras, dix-huit mois de tournage, des milliers de figurants, etc. Et puis, ce soir-là, les spectateurs médusés assistent à certains moments à la projection non pas d'un seul film mais de trois : certaines scènes sont juxtaposées et projetées simultanément par trois appareils, une véritable première mondiale.

Un cinéaste visionnaire

D'une certaine manière, Abel Gance inventait ainsi un procédé cinématographique futur, le fameux *split screen* aujourd'hui très répandu, qui consiste à diviser l'écran en plusieurs parties pour montrer différents angles ou points de vue.

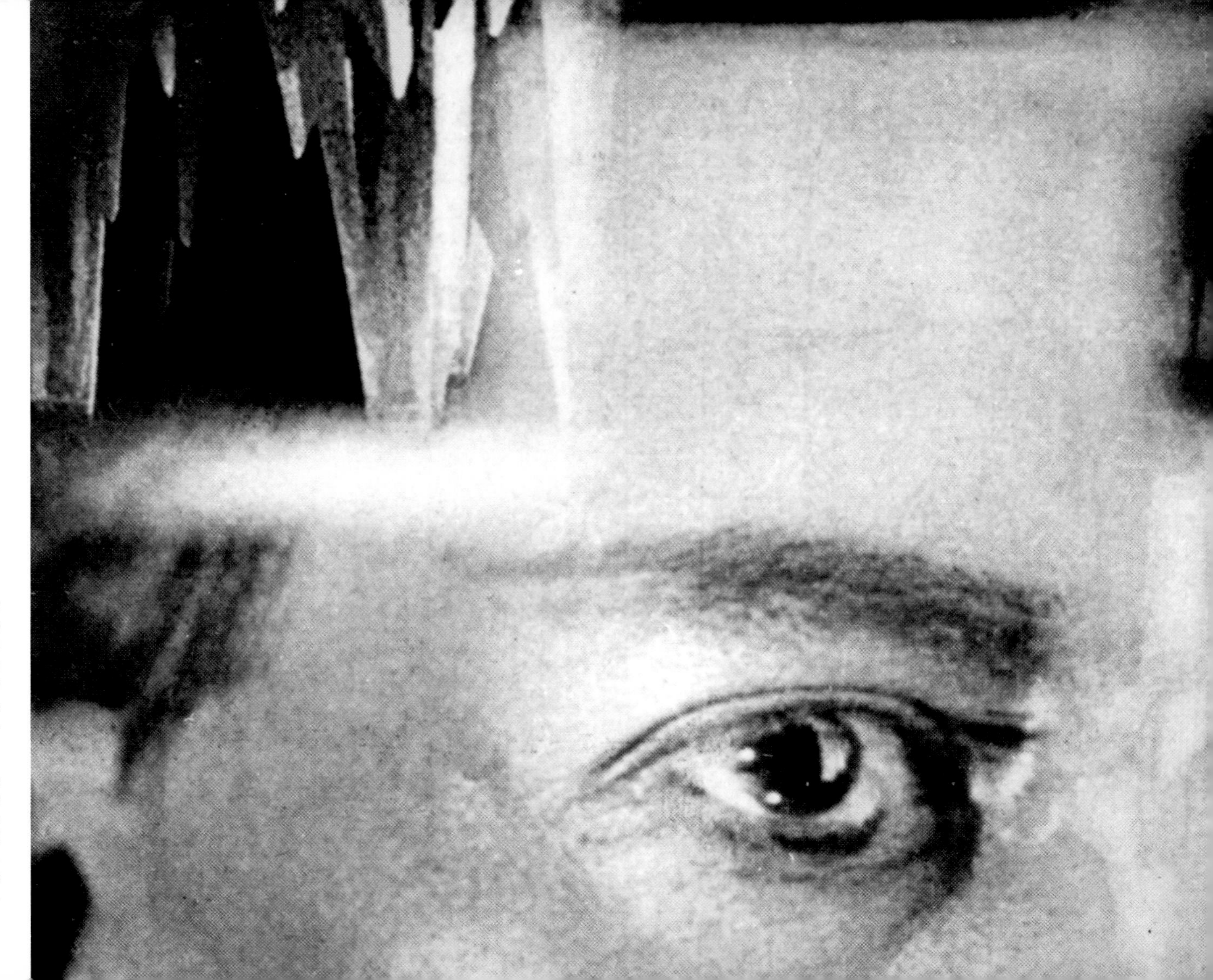

Une surimpression surréaliste du film de Germaine Dulac. La réalisatrice rêvait d'un cinéma « pur », libéré des influences littéraires, théâtrales et picturales.

Le clergyman (Alex Allin), écoute la confession de la femme du général (Genica Athanasiou). Avant d'avoir des visions morbides et érotiques.

1928 — 1er

Film surréaliste
LA COQUILLE ET LE CLERGYMAN

Ce film ne dure que 25 minutes seulement mais c'est un scandale retentissant qui fait suite à sa projection le 9 février 1928 au Studio des Ursulines à Paris, en présence de sa réalisatrice, Madame Germaine Dulac. Cette dernière présentait ce soir-là *La Coquille...* parmi un programme d'œuvres à caractère expérimental. Réalisé à partir d'un poème d'Antonin Artaud, le film déplaît absolument à l'écrivain adapté qui lui reproche ses aspects oniriques, lesquels atténuent selon lui la virulence érotique de son propos. Artaud a convoqué ses amis surréalistes, dont Robert Desnos qui traite publiquement Germaine Dulac de « vache ». Armand Tallier, propriétaire de la salle et organisateur de la soirée, fait le coup de poing contre les perturbateurs, tandis que René Clair, entre autres, a tenté de s'interposer entre les deux camps. Toutefois, Tallier s'est refusé à faire appel à la police et les surréalistes, André Breton en tête, lui en sauront gré. Même boudé par une partie d'entre eux, *La Coquille et le clergyman* peut ainsi se prévaloir d'être le premier film surréaliste du cinéma, avant même ceux de Man Ray et Buñuel notamment, qui ne tarderont pas à suivre.

Lion rugissant de la MGM
JACKIE

Quand la MGM naît en 1924 de la fusion des sociétés Metro, Goldwyn et Mayer, ses fondateurs choisissent comme emblème le lion préalablement utilisé par les productions Goldwyn. Le fauve rugissait à l'écran depuis 1917, mais les spectateurs ne pouvaient l'entendre : le cinéma était encore muet... En 1928, l'utilisation d'un gramophone permet pour la première fois d'entendre le cri du lion Jackie : un léger grognement, suivi de deux rugissements avant que le félin ne tourne brièvement la tête et fixe à nouveau la caméra. Depuis les débuts de la Metro Goldwyn Mayer, cinq lions se sont relayés pour incarner le logo du studio. Leo, le titulaire actuel du rôle, rugit depuis 1957...

Greta Garbo, l'une des stars de la Metro Goldwyn Mayer, pas vraiment rassurée à côté de la mascotte du studio.

Le logo technicolor de la MGM. La devise du studio est : *Ars Gratia Artis*, « l'art est la récompense de l'art ».

Jackie, le lion rugissant de la Metro Goldwyn Mayer de 1928 à 1932, en pleine séance d'enregistrement.

À l'origine du fauve

Howard Dietz, cadre de Goldwyn Pictures, avait choisi le roi des animaux en hommage à son ancienne université, Columbia, dont les athlètes étaient surnommés « les Lions », et dont l'hymne s'intitulait *Roar, Lion, Roar* (« Rugis, Lion, rugis »).

Feu au temple du lotus rouge est l'un des dix-huit épisodes d'un film dont la version intégrale (jamais projetée) durait 27 heures. Soit le plus long métrage de l'histoire...

Film d'arts martiaux
FEU AU TEMPLE DU LOTUS ROUGE

La tradition multiséculaire des arts martiaux asiatiques a logiquement investi le cinématographe, après de multiples variations théâtrales. Outre la diversité des pays concernés, c'est également le nombre des disciplines concernées (Il existe plus de 300 arts martiaux, selon les spécialistes) qui a permis au cinéma naissant de partir à la conquête d'un genre qui s'apparente aux films de cape et d'épée occidentaux. Certes des premiers films de ce type ont été tournés avant 1928 en Chine, mais c'est à partir de cette année que le succès public rencontré par la série réalisée par Zhang Sichiuan, *Feu au temple du lotus rouge,* donne le véritable coup d'envoi de ce qui sera un phénomène artistique et industriel formidable. En Chine, par exemple, entre 1928 et 1931, plus de 250 films (sur les 400 produits au total durant cette période) relevaient des arts martiaux.

Walt Disney (1901-1966) face à sa table de dessin et devant l'ombre chinoise de son personnage le plus célèbre. Le début d'une incroyable success-story.

Mickey et Minnie dans l'avion de *Plane Crazy*. Disney a trouvé l'inspiration de ce court métrage dans le premier vol transatlantique de Charles Lindbergh.

1928 **1er**

Mickey

NAISSANCE D'UNE SOURIS MYTHIQUE

***Plane Crazy* est, en 1928, le premier film issu de l'imagination de Walt Disney, qui met en scène le personnage de Mickey.** Il s'appuie sur le phénomène médiatique du vol historique de Lindbergh. Mais, à ce stade, il faut avouer que Mickey Mouse ne brille guère par son originalité et tranche assez peu avec d'autres personnages animés de l'époque dont, par exemple, Oswald, un petit renard créé l'année précédente par Disney et qui connaissait un succès grandissant. Toutefois, la situation financière de Laugh-O-Grams, la société de production de films d'animation lancée par Disney, est loin d'être satisfaisante. Il faut trouver un nouveau personnage capable de séduire les spectateurs : le personnage de Mickey Mouse est animé en grand secret pendant la réalisation des derniers Oswald. À l'origine, il devait s'appeler Mortimer, mais c'est l'épouse de Disney qui lui trouva le nom qui devait le rendre célèbre dans le monde entier. Si le premier film de Mickey passe quelque peu inaperçu, le troisième en date, *Steamboat Willie,* fait l'effet d'une petite bombe puisqu'il est le premier dessin animé sonore de l'histoire du cinéma mondial.

Un inspecteur de Scotland Yard (John Longden, ci-contre) est chargé d'enquêter sur le meurtre commis par sa petite amie Alice (l'actrice allemande Anny Ondra, à droite).

Sir Alfred Hitchcock sur un tournage à la fin de sa carrière. *Chantage* est le premier film parlant du célèbre réalisateur de *La Mort aux trousses*.

1er

Thriller d'Alfred Hitchcock

HITCHCOCK FAIT DU CHANTAGE

Certes, en 1926, le jeune cinéaste britannique Alfred Hitchcock avait signé avec *The Lodger*, un suspense réussi autour de la figure de Jack l'Éventreur, mais c'est avec *Blackmail (Chantage)* trois ans plus tard qu'il s'impose comme un maître dans l'art du thriller. Dans ce film, Hitchcock pose un certain nombre de thèmes et de figures que l'on retrouvera par la suite dans la plupart de ses œuvres : une héroïne blonde et fragile, un meurtre au couteau, un détective avisé, un maître chanteur cynique, sans oublier une confession impossible et une course-poursuite haletante dans un lieu incongru, en l'occurrence le British Museum. Premier thriller hitchcockien, *Chantage* fut également un des premiers films parlants britanniques. Il connut en outre un formidable succès public et critique : désormais il faudrait compter avec le talent de celui qui deviendra, longtemps après, Sir Alfred Hitchcock.

Le réalisateur Frank Borzage et son actrice Janet Gaynor posent devant la statuette des Academy Awards.

Victor Fleming (avec le chapeau) de passage sur le tournage des *Ailes,* désigné meilleur film de l'année 1928.

E. Jannings dans *Quand la chair succombe.* Nouvelle récompense pour le comédien allemand, héros du *Dernier des hommes* de Murnau.

Cérémonie des Academy Awards

EN ATTENDANT OSCAR...

Hollywood, 16 mai 1929, les professionnels du cinéma américain sont venus en nombre au Roosevelt Hotel pour décerner leurs premières récompenses aux acteurs, réalisateurs, techniciens et films les plus brillants de l'année. Les nominations ont été établies le 15 février dernier par un vote secret, au sein de chaque branche professionnelle. Ce premier tour de scrutin distingue 35 professionnels. Les lauréats, eux, seront désignés par l'ensemble des votants. Lors de cette soirée du 16 mai, les gagnants seront finalement les acteurs Emil Jannings pour *Quand la chair succombe* de Victor Fleming et Janet Gaynor pour deux films de Frank Borzage (lequel est par ailleurs sacré meilleur réalisateur) et pour *L'Aurore* de Murnau. Quant au meilleur film de l'année, il s'agit du film *Les Ailes* de William Wellmann avec Gary Cooper. Enfin deux prix spéciaux sont remis : l'un à la Warner pour *Le Chanteur de jazz* et l'autre à Chaplin pour *Le Cirque,* soit la première récompense de sa longue et brillante carrière.

Eddie Kearns (Charles King) et les « girls » du show Francis Zanfield. L'intrigue, sommaire (un homme qui hésite entre deux femmes), sert de prétexte à de nombreux numéros musicaux.

Tournée promotionnelle des comédiens de *The Broadway Melody* pour assurer la publicité du film... et du cinéma parlant version Metro Goldwyn Mayer.

Harriet et Queenie Mahoney (Bessie Love et Anita Page), les deux héroïnes du film, en pleine séance de chant.

Comédie musicale
THE BROADWAY MELODY

« All talking ! All singing ! All dancing ! ». Le slogan publicitaire de la première comédie musicale de l'histoire du cinéma mondial ne fait pas dans le détail et annonce clairement la couleur du tout-parlant, du tout-chantant et du tout-dansant. On promet aux spectateurs le premier film entièrement sonore, chanté et dansé. Ainsi est en effet annoncé le film de Harry Beaumont, *The Broadway Melody* avec Bessie Love dans le rôle principal. Il s'agit dans les faits d'une véritable machine de guerre artistique et commerciale lancée par la MGM pour contrer le succès de la Warner et de son *Chanteur de jazz*. La bataille du son et de la chanson fait rage désormais au sein d'Hollywood, chacun ayant compris que l'avenir du cinéma est là.

Première utilisation du playback

The Broadway Melody peut se targuer, en outre, d'avoir permis la mise au point d'un procédé inédit, utilisé pour la première fois au cinéma : le playback, lequel a permis d'enregistrer la bande sonore pour moitié au moins avant même le tournage proprement dit. Un an plus tard, le film est élu meilleur film de l'année.

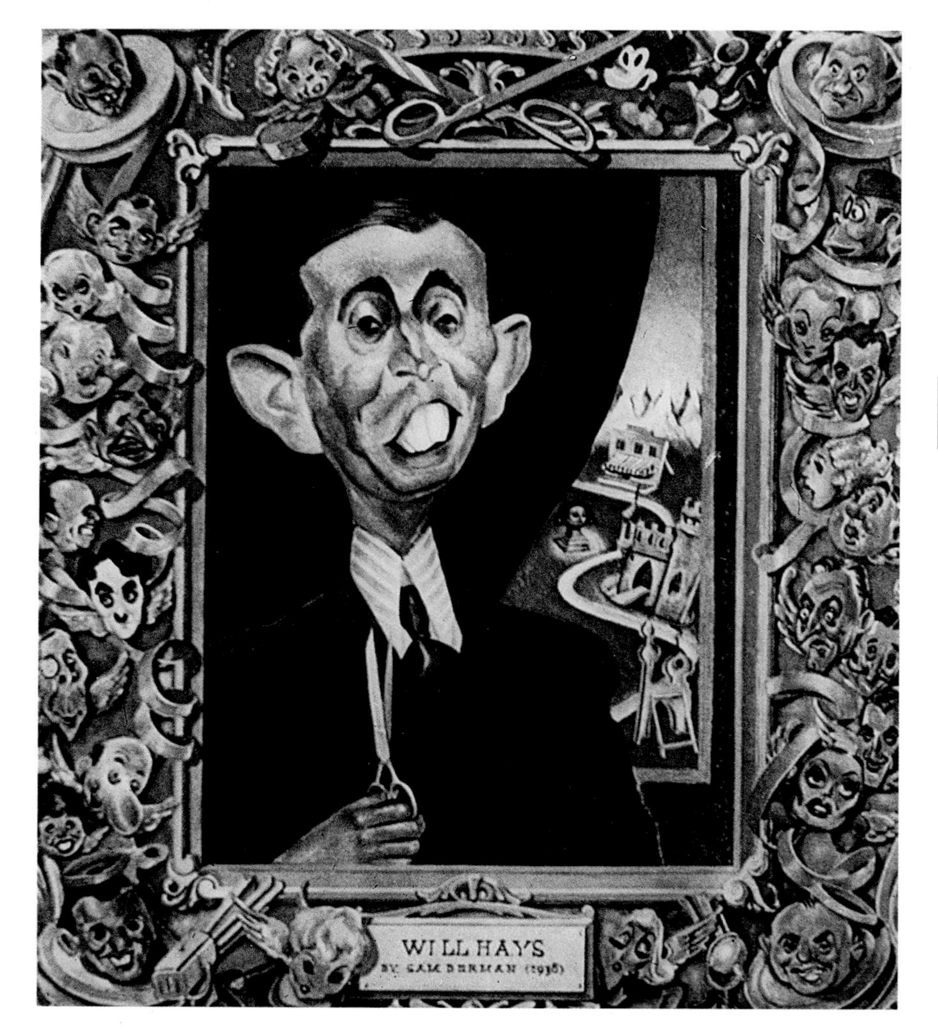

Une caricature de Hays. Ce sénateur républicain fut patron de la Poste américaine avant de devenir président du syndicat des producteurs et distributeurs.

L'une des premières mesures imposées par William H. Hays fut d'imposer un certificat de moralité à toute personne apparaissant sur un écran.

Apparition de la morale à Hollywood
LE CODE HAYS

C'est le prêtre catholique Daniel A. Lord et Martin Quigley, l'éditeur d'un journal professionnel, qui ont rédigé le code de la production et que les producteurs, représentés par William H. Hays, le président de la Motion Picture Producers and Distributors of America (MPPDA) ont accepté au moins officieusement le 17 février 1930. L'avènement du parlant a libéré un peu plus la liberté de ton du cinématographe, inquiétant chaque jour un peu plus les adeptes d'une censure à l'intérieur de la profession. Désormais, les scénaristes et les réalisateurs américains sont placés sous surveillance. Ils doivent veiller à ce que ni le sexe, ni la violence, ni le crime ne soient montrés dans leur film. Ils doivent en outre bannir toute allusion inconvenante ou déplacée. Le code est divisé en douze sections principales qui vont des « crimes contre la loi » jusqu'aux « sujets repoussants », section qui fait, par exemple, la liste des zones corporelles interdites, dont le nombril. Il faudra attendre les années 60 pour voir le code Hays disparaître définitivement.

L'une des falaises naturelles utilisées par Raoul Walsh pour son film à grand spectacle. Dans cette scène, les pionniers résistent à l'assaut des Indiens.

Marion Robert Morrison, alias John Wayne, le cow-boy le plus célèbre d'Hollywood. Le rôle était prévu à l'origine pour Gary Cooper.

Sur la piste des géants raconte le parcours mouvementé d'une caravane de pionniers entre tempêtes, déserts et attaques diverses.

1930 — 1er

Western au format XXL !

SUR LA PISTE DES GÉANTS

80 acteurs, 2 000 Indiens figurants, 14 cameramen et au final un film de plus de trois heures dirigé par Raoul Walsh : *Sur la piste des géants* est une véritable superproduction. Mais son gigantisme ne s'arrête pas là. Il multiplie en effet les prouesses techniques et les avancées technologiques. Il est ainsi le premier western à être diffusé sur écran large et à bénéficier d'une pellicule au format encore expérimental à l'époque, le 70 mm. Autre « première » pour ce grand western classique et non des moindres, il offre à un certain Duke Morrison son premier rôle principal au cinéma après sept films dans des rôles secondaires. Walsh a choisi cet inconnu parce que, selon lui, « il monte mieux à cheval que quiconque, sait tenir un fusil et ne craint ni les Indiens, ni les bisons. » Agé tout juste de 23 ans, ce jeune homme s'était vu proposer par Walsh lui-même le pseudonyme de Tony Wayne, en hommage au héros de la guerre de Sécession, le général Anthony Wayne. Ce sera finalement John Wayne : une star est née.

Le Docteur Henry Frankenstein (Colin Clive) dans son laboratoire. James Whale réalisera, en 1935, une suite encore plus réussie : *La Fiancée de Frankenstein*.

1931 — 1er

Frankenstein
NAISSANCE D'UNE CRÉATURE

L'année 1931 est pour Hollywood une année décidément « monstrueuse » ! Après la naissance de Dracula en février, c'est au tour d'une autre créature terrifiante de faire son apparition sur les écrans, en novembre cette fois. Le réalisateur James Whale fait découvrir au public son *Frankenstein* qui est l'adaptation d'une pièce de théâtre de Peggy Webling, elle-même inspirée du fameux roman écrit par Mary W. Shelley. Soit l'histoire d'un savant, le docteur Frankenstein, qui crée un être artificiellement, lequel échappe très vite à son contrôle. Cette créature est incarnée à l'écran par l'acteur Boris Karloff, tandis que le savant est interprété par Colin Clive. Mais le public est littéralement fasciné par Karloff et les maquillages concoctés par Jack Pierce créent un effet spectaculaire. Le film connaît un immense succès commercial.

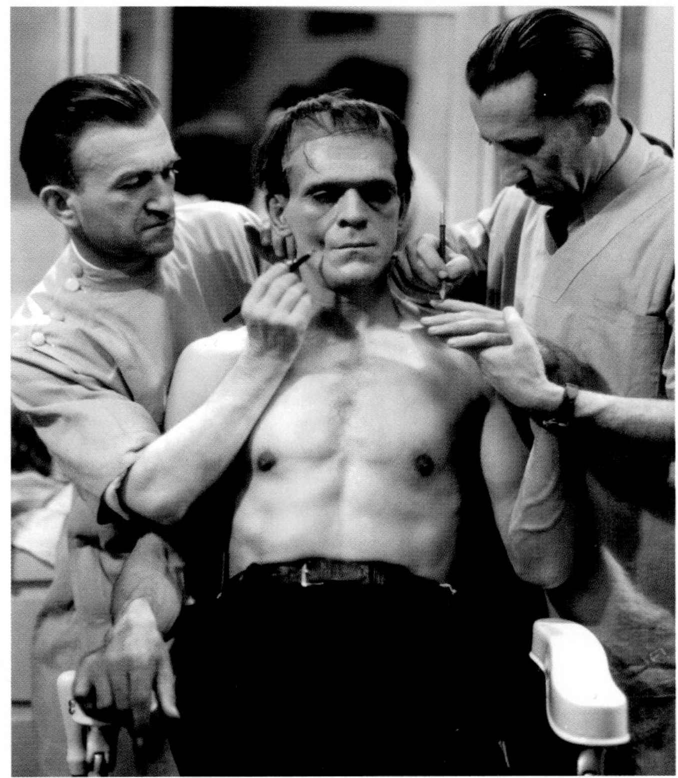

L'acteur Boris Karloff en pleine séance de maquillage. Le rôle de la créature avait d'abord été proposé à Bela Lugosi, l'interprète de… Dracula.

La création d'un genre

Cette première adaptation sonore de *Frankenstein* est sans aucun doute l'acte de naissance du cinéma fantastique moderne. De nombreuses autres adaptations suivront, des plus sérieuses aux plus loufoques.

1932

1er Film à sketches
SI J'AVAIS UN MILLION

C'est à Hollywood, en 1932, qu'apparaît le premier film à sketches : *Si j'avais un million* est réalisé par Norman Taurog, Stephen Roberts, Norman McLeod, James Cruze, William A. Seiter, H. Bruce Humberstone et supervisé par Ernst Lubitsch. Au total, un prologue et huit sketches, avec comme situation commune les réactions des huit bénéficiaires d'un héritage imprévu et dû uniquement au hasard. Huit personnages hauts en couleurs qui vont de Mr. Peabody, vendeur dans un magasin de porcelaines, à Violet, la prostituée qui dort dans des draps de soie, en passant par l'assassin Wallace. Et pour les incarner à l'écran, une pléiade de vedettes parmi lesquelles Gary Cooper, W.C. Fields, Charles Laughton et George Raft notamment. Curieusement, le générique ne crédite pas chaque sketch de son réalisateur spécifique, mais reste dans le flou d'une œuvre globale, ce qui n'est évidemment pas le cas dans la réalité. Outre son rôle de superviseur, Lubitsch aurait ainsi réalisé le quatrième sketch.

Gary Cooper (à droite) campe l'un des huit personnages choisis au hasard dans l'annuaire par un millionnaire fantasque pour toucher son héritage.

W.C. Fields, de son vrai nom William Claude Dukenfield, est l'une des plus grandes stars du cinéma burlesque à Hollywood, spécialiste des rôles colériques.

W. C. Fields (au centre de la photo) dans le sketch inaugural du film *Si j'avais un million*. Un regrettable accident de voiture qui tourne mal...

1932 **1er** Film du réalisme poétique

CŒUR DE LILAS

Le cinéma français des années trente est dominé par un courant baptisé « réalisme poétique » par le critique Georges Sadoul. Il rassemble des films dont les héros sont des marginaux (souvent hors la loi) victimes de l'amour, où le naturalisme des situations (notamment sur le plan social) est nuancé par une esthétique influencée par l'avant-garde et l'expressionnisme. Si Jean Renoir, Julien Duvivier et le tandem Jacques Prévert (au scénario)-Marcel Carné (à la réalisation) sont les figures marquantes du mouvement, le pionnier du réalisme poétique est un Russe exilé en France avant de rejoindre Hollywood. Dans *Cœur de lilas,* Anatole Litvak annonce les grandes figures de *La Belle Équipe* ou du *Jour se lève* : le tragique (la jeune héroïne déliquante tombe amoureuse du policier chargé de la surveiller), la fête collective dans les guinguettes, l'importance des chansons (« La môme caoutchouc » de Fréhel)... Sans oublier Jean Gabin, le héros populaire par excellence.

Marcelle Romée dans le rôle-titre de *Cœur de lilas*. La jeune première s'est suicidée neuf mois après la sortie du film. Elle avait 29 ans.

Deux monstres sacrés face à face : Fréhel, la chanteuse vedette du « beuglant » et Jean Gabin, la grande vedette du cinéma français des années trente

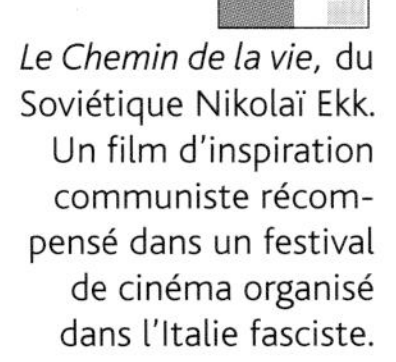

Le Chemin de la vie, du Soviétique Nikolaï Ekk. Un film d'inspiration communiste récompensé dans un festival de cinéma organisé dans l'Italie fasciste.

À nous la liberté, du Français René Clair et *Les Ailes*, de l'Américain Willam A. Wellman, deux autres films marquants de la première Mostra de Venise.

1932 1re

Mostra

VENISE ENTRE EN SCÈNE

La première édition de l'Exposition internationale d'art cinématographique, ou Mostra, a lieu le 6 août sur l'île du Lido, à Venise. Elle n'est alors qu'une section de la Biennale d'Art. Le public italien, venu nombreux, découvre 29 films et, donc, le cinéma mondial dans ses différents courants et nationalités. C'est d'ailleurs ce public et non un jury qui est appelé par un vote à décerner des récompenses sans remise de prix. La meilleure réalisation revient ainsi au cinéaste soviétique Nikolaï Ekk pour *Le Chemin de la vie*. On a également pu voir les nouveaux films du Français René Clair *(À nous la liberté)* et de l'Américain Rouben Mamoulian *(Docteur Jekyll et Mr. Hyde)*, entre autres. Deux ans après cette première, la Mostra prend son indépendance par rapport à la Biennale et propose désormais une compétition annuelle et internationale. Venise est donc le plus ancien festival des grandes manifestations internationales dédiées au cinéma.

Max Steiner a composé les célèbres bandes originales de *Casablanca* (Michael Curtiz), du *Grand Sommeil* (Howard Hawks) et de *Key Largo* (John Huston).

Dolores Del Rio entourée de deux vahinés dans *L'Oiseau de Paradis*. L'actrice fit carrière à Hollywood jusqu'en 1942 avant de rentrer dans son Mexique natal.

1932 1re

Symphonie écrite pour un film
L'OISEAU DE PARADIS

C'est en 1932 que le cinéaste King Vidor a réalisé le film *L'Oiseau de Paradis* avec Joel McCrea, Dolores Del Rio et John Hallyday dans les rôles principaux. On y raconte les aventures exotiques et les amours entre un Européen et une jeune autochtone. Mais c'est pour d'autres raisons artistiques que le film est inscrit dans l'histoire mondiale du cinéma. En demandant à Max Steiner de composer la musique de son film, King Vidor savait-il que le musicien écrirait pour l'occasion la première bande originale symphonique ? Assurément non, car jusque-là, personne n'a songé à donner une telle ampleur à une partition de cinéma. Mais rien ne fait peur à l'ex-enfant prodige qu'est Steiner. Dès 1929, avec l'avènement du parlant, il est devenu l'un des musiciens les plus prolifiques d'Hollywood. Un statut qu'il conserva sa vie durant, puisqu'au total, Max Steiner a composé pas moins de 250 bandes originales de films et fut successivement directeur musical des puissants studios RKO puis Warner !

Hedy Lamarr se jette à l'eau... pour le plus grand plaisir des spectateurs voyeurs. Le succès d'*Extase* ouvrit les portes de Hollywood à la jeune actrice autrichienne.

Après la nudité d'*Extase*, Hedy Lamarr (1914-2000) fit forte impression en tentatrice biblique dans *Samson et Dalila*, de Cecil B. De Mille en 1949.

1933

1re Scène d'amour physique

EXTASE ET LA LIBÉRATION DES CORPS

Ce 20 janvier 1933, des spectateurs praguois assistent à une première projection du nouveau film de Gustav Machaty, déjà auteur d'*Erotikon*, une œuvre très audacieuse pour l'époque. Mais avec *Extase,* il est allé plus loin. Le film raconte l'histoire d'une jeune femme qui, toujours vierge après sa nuit de noces, revient à la maison paternelle puis fait la connaissance d'un homme auquel elle s'abandonne totalement… C'est une jeune et ravissante actrice viennoise, Hedy Kiesler, qui, sous le nom de scène de Hedy Lamarr, incarne cette héroïne. Machaty, dans une scène de baignade, ne cache rien ou presque de sa plastique de rêve et va même jusqu'à filmer l'union charnelle des deux amants. C'est cette scène qui fait scandale et assure au film, tourné en trois versions (tchèque, allemande et française), un succès phénoménal. À telle enseigne que quelques années plus tard, Hedy Lamarr, devenue une grande star respectable à Hollywood, fit racheter par l'un de ses maris toutes les copies existantes afin de les détruire ! Malgré cela, son image a traversé les époques.

La scène la plus célèbre du film : King Kong, après avoir escaladé l'Empire State Building, fait face aux avions venus l'abattre.

Une photo de promotion du film. La silhouette de King Kong semble prête à écraser New York. Dans samain, l'actrice Fay Wray.

1933 **1er**

King Kong

UN SINGE-ROI EST NÉ !

2 mars 1933, c'est, au Radio City Music Hall de New York, la première du film *King Kong*. Réalisé par Merian C. Cooper et Ernest B. Schoedsack, deux cinéastes venus du documentaire, il raconte l'histoire d'un singe gigantesque, ramené en captivité à New York, qui se libère et sème la terreur dans la ville avant d'être abattu au sommet de l'Empire State Building. De nombreux éléments impressionnent les spectateurs de l'époque. Tout d'abord la réussite des trucages et des décors dus à Willis O'Brien, dont les maquettes animées sont criantes de vérité. Le singe lui-même correspond à une série de maquettes de tailles différentes. Une tête, une main et un pied géant furent également construits pour les gros plans. Ensuite, le film offre une profonde variation quasi métaphysique autour des figures de la belle et la bête à travers le personnage féminin incarné ici par Fay Wray et dont King Kong tombe éperdument amoureux, allant jusqu'à la caresser.

Un mythe hollywoodien

Plusieurs films, dont celui de John Guillermin en 1976, firent renaître King Kong sur grand écran, jusqu'au remake impressionnant de Peter Jackson en 2005.

Une scène « scandaleuse » du film. Pendant la bataille de polochons, on pouvait distinguer le sexe de l'enfant au premier plan.

Les élèves du collège au garde-à-vous avant la grande révolte contre toutes les autorités : scolaires, militaires et préfectorales.

Jean Vigo (1905-1934) sur le tournage de *L'Atalante*. Il était le fils d'un célèbre militant anarchiste puis socialiste catalan.

1933 **1er** Film français interdit

ZÉRO DE CONDUITE

Le 30 avril 1933 est à marquer d'une pierre noire dans la carrière du jeune cinéaste contestataire, Jean Vigo : l'interdiction totale de son nouveau film *Zéro de conduite* est annoncée officiellement ce jour-là par la Commission de censure sur pression gouvernementale. C'est le premier film français censuré dans son intégralité et par conséquent empêché de sortir. Après un tournage éprouvant et un accueil plus que mitigé des exploitants de salles de cinéma et des journalistes spécialisés, c'est un nouveau coup dur pour ce film assurément hors norme. Fondé sur les propres souvenirs d'enfance de Vigo, *Zéro de conduite* raconte la révolte libertaire de quatre adolescents rebelles contre les responsables d'un collège provincial. Le film prône clairement le passage à l'acte et la remise en cause radicale de toute autorité par la jeunesse. Il fait donc logiquement scandale et le pouvoir en place ne peut accepter cette révolte même cinématographique. Il faudra attendre 1945 pour que le film puisse sortir librement dans les salles de cinéma.

Scènes de *Tchapaïev*. Sous la dictature de Staline, le « réalisme socialiste » deviendra une obligation pour tous les cinéastes d'Union soviétique.

Boris Babochkine (à droite) incarne Tchapaïev. Le film s'inspire des mémoires de cet officier mythique de l'Armée rouge, héros de la Révolution russe.

1934 **1er** Film réaliste russe

TCHAPAÏEV ET LE RÉALISME SOCIALISTE RUSSE

Réalisé par Serge et Georges Vassiliev (deux cinéastes qui ne sont pas frères mais homonymes !), le film soviétique *Tchapaïev* est à la fois l'un des premiers films parlants du cinéma soviétique et le premier à proprement parler d'un renouveau du jeune cinéma russe alors en crise profonde. Filmé comme un western soviétique et renouant avec l'âge d'or du cinéma muet russe, le film raconte l'édifiante histoire d'un révolutionnaire impulsif qui devient chef des partisans durant la guerre civile. Le film rompt avec le lyrisme en vogue à l'époque et privilégie le réalisme des personnages, des situations et des scènes. En URSS, le film connaît un succès foudroyant. Même inventé de toutes pièces, Tchapaïev devient un véritable héros révolutionnaire que les enfants prennent comme modèle jusque dans leurs jeux. Le réalisme soviétique prend naissance dans ce partisan en bonnet de fourrure, debout à côté d'une mitrailleuse dans une rapide voiture à chevaux.

1935 **1er** Film en Technicolor

BECKY SHARP

C'est le 3 juin 1935 que sort sur les écrans le nouveau film de Rouben Mamoulian, *Becky Sharp* avec Miriam Hopkins dans le rôle-titre. Le scénario du film est l'adaptation d'une pièce de Landon Mitchell elle-même inspirée du roman de W. M. Thackeray, *La Foire aux vanités*. L'action se situe au début du XIXe siècle : la jeune Becky programme son ascension sociale en manipulant son entourage. Des critiques font valoir que le film dénature considérablement l'œuvre phare de Thackeray. Mais le public est totalement séduit par le nouveau procédé Technicolor trichrome mis au point par Herbert T. Kalmus. L'image brille de tous ses feux et le réalisateur n'a pas lésiné sur les effets stylistiques pour magnifier le recours au Technicolor : c'est ainsi que la couleur rouge envahit progressivement tout l'écran quand, au cours d'un bal, on annonce Waterloo. Deux mois plus tard, le Festival de Venise, qui en est alors à sa troisième édition, décerna au film son prix de la couleur.

Une scène de *Becky Sharp*, réalisé par Rouben Mamoulian. Le procédé Technicolor mettait particulièrement en valeur la couleur rouge.

Miriam Hopkins est Becky Sharp dans cette adaptation quelque peu affadie du roman social *La Foire aux vanités*, de William Thackeray.

Clark Gable et Claudette Colbert, dans la scène dite des « murs de Jéricho », l'une des plus célèbres de la comédie romantique *New York-Miami* signée Frank Capra.

La statuette remise à tous les lauréats des Academy Awards. Réalisé en britannium plaqué or, chaque Oscar mesure 34 centimètres et pèse 3,85 kilos.

1935 1er

Oscar

PETIT OSCAR DEVIENDRA GRAND

Il s'agit de la septième cérémonie des Academy Awards. Elle se déroule au Baltimore Hotel et restera dans l'histoire hollywoodienne comme celle de la naissance officielle d'« Oscar », la statuette qui récompense chaque lauréat. D'où vient ce prénom ? Nul ne le sait vraiment. Au siège de l'Académie, on assure que Margaret Herrick, la bibliothécaire, se serait exclamée en la voyant : « Mais elle ressemble à mon oncle Oscar ! » Pour d'autres sources, l'actrice Bette Davis serait à l'origine de cette trouvaille en raison de la ressemblance de la statuette avec son mari Harmon Oscar Nelson. Certains enfin assurent que le critique de cinéma Sidney Skolsky est le « père » de cet Oscar que chacun se dispute ! Quoi qu'il en soit, ce nom familier est immédiatement adopté et employé par tous.

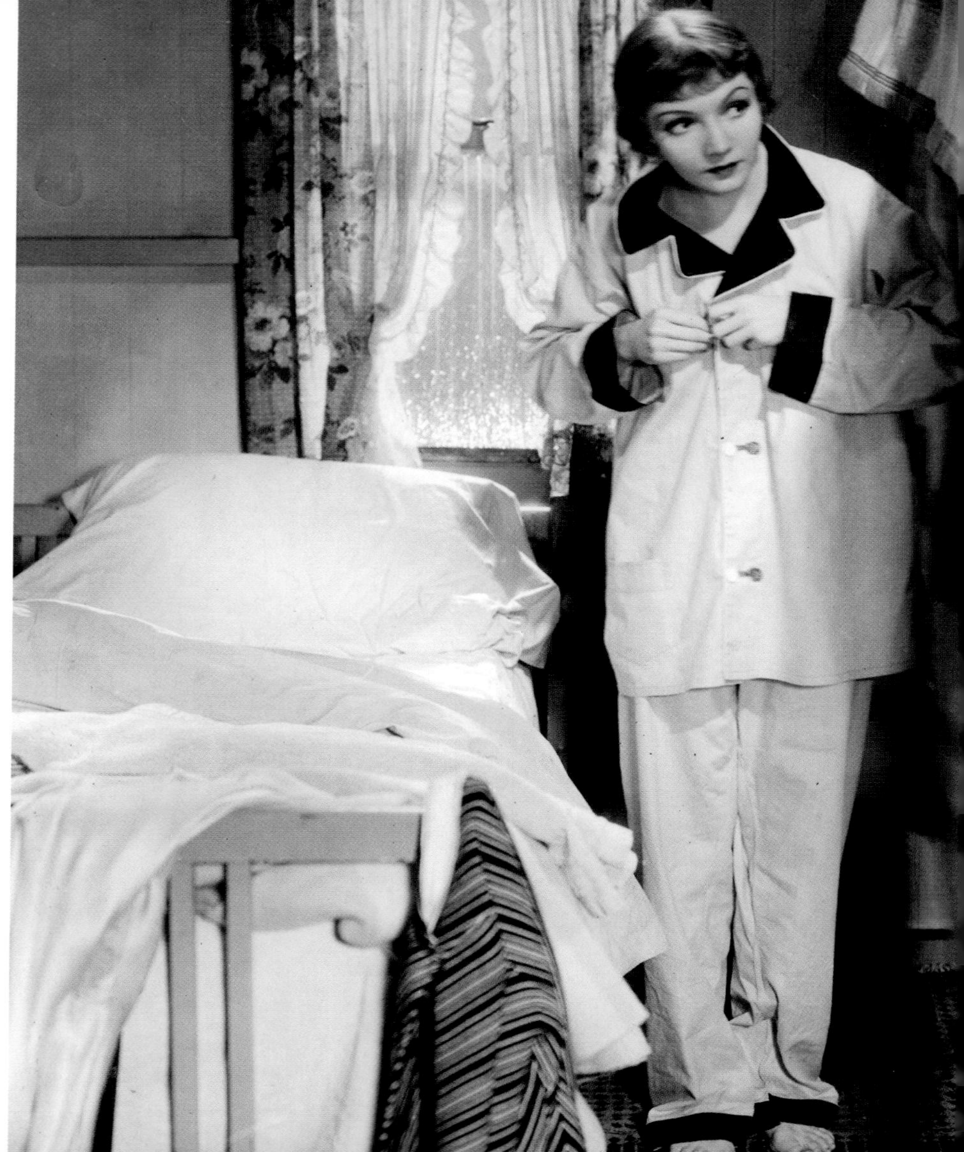

Premier Oscar pour un couple

L'autre première de cette cérémonie aura été de récompenser pour la première fois un couple de cinéma : Claudette Colbert et Clark Gable reçoivent un Oscar chacun parce qu'ils forment le couple vedette du film le plus récompensé cette année-là, *New York-Miami*, réalisé par Frank Capra.

Fritz Lang (assis en hauteur devant la caméra) sur le plateau de *Furie*, produit par la Metro Goldwyn Mayer.

La foule se prépare à lyncher Joe Wilson (Spencer Tracy), détenu dans la maison d'arrêt : une scène-choc de *Furie*.

Joe Wilson (Spencer Tracy), revenu des morts. L'un des plus beaux rôles de l'acteur américain.

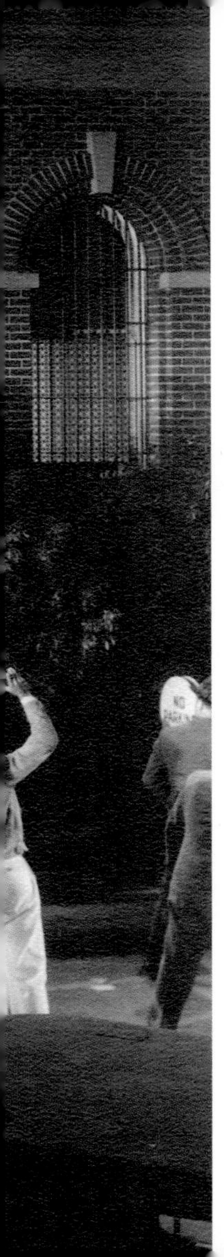

1936

Film américain de Fritz Lang
FURIE

En 1933, suite à l'interdiction de son film *Le Testament du Docteur Mabuse* et alors que le jour même Goebbels, le ministre de la Propagande d'Hitler, lui avait proposé de prendre la tête du cinéma national, Fritz Lang avait décidé de quitter l'Allemagne, son pays natal, pour s'exiler d'abord en France, où il tourna *Liliom*, puis aux États-Unis, à l'invitation de David O. Selznick. Immédiatement sous contrat avec la MGM, Lang apprit l'anglais avec obstination. Après plusieurs projets avortés, il entreprend d'adapter avec Bartlett Cormack un scénario de quatre pages écrit par Norman Krasna et intitulé *La Loi de la populace*. Durant le tournage de *Furie*, Fritz Lang dut bon gré mal gré se plier aux méthodes américaines fort différentes des méthodes allemandes. Également en proie à l'hostilité de son producteur, qui n'est autre que Joseph Mankiewicz, il dut en outre accepter le « happy end » imposé par la MGM ainsi que le montage final qui ne lui convenait pas. Mais le public réserve un excellent accueil au film et la carrière américaine de Lang démarre bien de ce point de vue.

1936 **1re** Pierre de Cinecittà

DES STUDIOS EXEMPLAIRES

Mussolini, comme nombre de dictateurs, appréciait le 7e Art pour son impact sur le public. Au milieu des années trente, le gouvernement fasciste décide de créer en Italie le plus grand centre de création cinématographique d'Europe, en vue de concurrencer la production américaine. La première pierre de cette Cinecittà (« la ville du cinéma ») est posée par Mussolini lui-même le 26 janvier 1936 sur un site de 60 hectares, à 9 kilomètres de Rome. Quinze mois plus tard, le « Duce » inaugure ce site gigantesque qui regroupe pas moins de 73 bâtiments dont 16 studios avec loges, 75 kilomètres de rues, des jardins et même une immense piscine pour les prises de vues maritimes. En six ans, trois cents films y sont produits.

Hollywood-sur-Tibre

Un temps délaissée par les réalisateurs du néoréalisme, qui préfèrent tourner en extérieurs, Cinecittà retrouve une seconde jeunesse dans les années 50 grâce à Hollywood, qui décide d'y tourner ses péplums.

Mussolini pose la première pierre de la « ville du cinéma » le 26 janvier 1936. De nombreux films relaieront l'idéologie nationaliste du régime.

L'inauguration de Cinecittà, le 28 avril 1937. Sur la façade, le slogan fasciste « Le cinéma est l'arme la plus forte » et une photo géante du « Duce » avec caméra.

Et comment !

Une projection du *Voleur de bicyclette* (1948), de Vittorio De Sica à la Cinémathèque française.

Henri Langlois (1914-1977), l'un des quatre fondateurs de la Cinémathèque, et le gardien de sa mémoire.

L'ex-American Center, le siège actuel de la Cinémathèque française, situé dans le quartier de Bercy à Paris.

1936 — 1ers

Statuts de la Cinémathèque française

LA SAUVEGARDE DU PATRIMOINE

À la fin des années vingt, le développement du parlant entraîne la mise au rebut de milliers de films muets, considérés comme inutilisables. En France, de nombreux critiques ne peuvent se résoudre à ces destructions massives de pellicules et demandent, en 1933, la constitution d'Archives du film. En vain... Trois ans plus tard, quatre amis décident de créer une association afin de « défendre et sauvegarder le patrimoine cinématographique » – des films bien sûr, mais aussi des scénarios, des photos, des maquettes, des affiches, des revues... Les fondateurs sont le décorateur de théâtre et futur réalisateur Georges Franju, l'historien du cinéma Jean Mitry, le patron de presse et mécène Jean-Auguste Harlé et, surtout, le collectionneur Henri Langlois, qui sera l'incarnation de la Cinémathèque française pendant 41 ans.

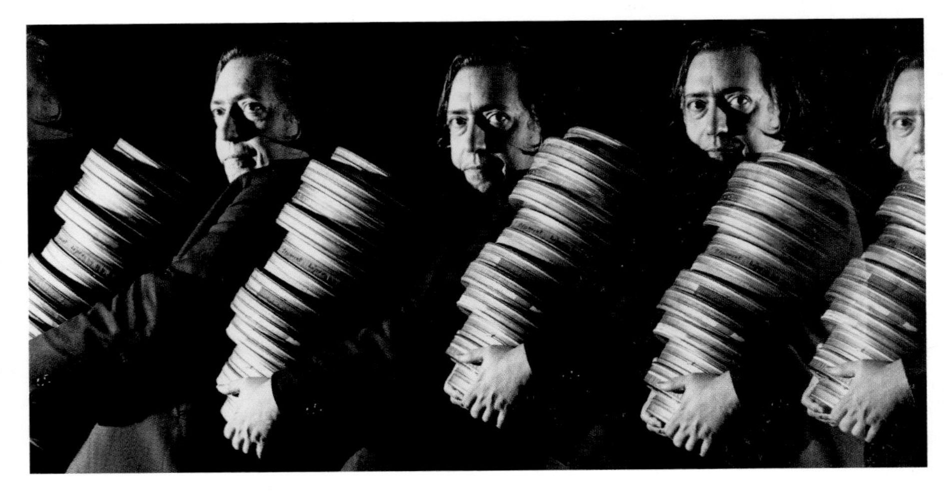

Une première suédoise

La première Cinémathèque de l'histoire a été créée à Stockholm en 1933, à l'initiative de l'Académie suédoise du cinéma.

1940 **1er** Oscar pour une actrice noire

HATTIE McDANIEL

1940. Décidément, cette année-là, les Oscars se singularisent. Non seulement ils ont lieu un 29 février, année bissextile oblige et alors que l'Europe est en guerre. De plus, pour la première fois de leur existence, ils récompensent une actrice noire en la personne de Hattie McDaniel qui incarne Mammy la fameuse nounou dans *Autant en emporte le vent.* C'est à elle en effet que revient l'Oscar du second rôle féminin. Il faut dire qu'une véritable pluie de statuettes est tombée sur le film de Victor Fleming : meilleur film, meilleur réalisateur, meilleure actrice pour Vivien Leigh, meilleur second rôle féminin donc, sans oublier meilleure mise en scène, meilleure direction artistique, meilleure adaptation et meilleure image. Au final, seul Clark Gable repart bredouille de la cérémonie. Quant à Hattie McDaniel, cette récompense venait relativement tard dans une carrière déjà fort avancée au cours de laquelle elle avait tourné sous la direction, entre autres, de John Ford et Raoul Walsh, toujours pour des seconds rôles. Malheureusement, cet Oscar ne marqua pas une nouvelle étape dans sa carrière.

Hattie McDaniel (1892-1952), au milieu des Oscars décernés à *Autant en emporte le vent.* L'actrice avait débuté sa carrière comme choriste.

Mammy en compagnie de « M'ame Scarlett » (Vivien Leigh). Ci-dessous, Rhett Butler (Clark Gable) et Scarlett O'Hara (Vivien Leigh).

L'une des photos les plus célèbres de *Citizen Kane* : Charles Foster Kane, le patron de presse (Orson Welles) filmé en plongée sur les piles de ses journaux.

1941 **1er** *Overlapping dialogue*

CITIZEN KANE

Dans les premières années du parlant, scénaristes, acteurs, réalisateurs et monteurs devaient se conformer à une règle intangible : les dialogues devaient être prononcés distinctement, sans jamais se superposer. Mais en 1941, un jeune génie du théâtre décide de passer outre pour son premier long métrage. Dans *Citizen Kane,* Orson Welles invente l'*overlapping dialogue* : autrement dit, les dialogues se chevauchent et s'entremêlent, les comédiens n'hésitent pas à s'interrompre les uns les autres. Le procédé n'a rien d'un gadget technique : il participe de la tension dramatique du film. Welles fait comprendre au public la décadence de son héros tout-puissant à travers la contestation de sa parole, de plus en plus interrompue et couverte pas les mots des autres... Le procédé sera repris par Alfred Hitchcock en 1942 pour *L'Ombre d'un doute,* avant de se généraliser. Le maître incontesté du genre étant Robert Altman (*Nashville, Un Mariage, Short Cuts*...).

Orson Welles dirige une scène de *Citizen Kane* depuis son fauteuil roulant. Le film multiplie les prouesses techniques, comme l'utilisation de la profondeur de champ.

Kane devant son portrait géant. La majorité des critiques et des historiens considèrent *Citizen Kane* comme le meilleur film de tous les temps.

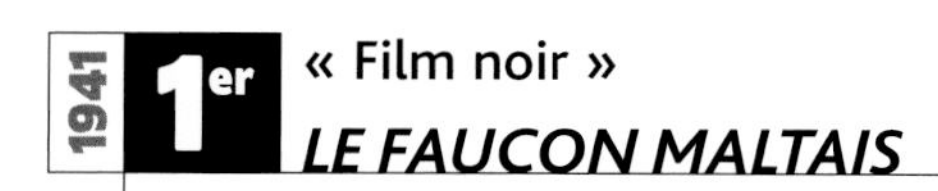

1941 **1er** « Film noir »

LE FAUCON MALTAIS

Un détective privé volontiers cynique, engagé pour mener une enquête sans en connaître les véritables implications ; une vision de la condition humaine marquée par le pessimisme ; une femme fatale qui mène les hommes à leur perte ; des images en noir et blanc sous influence de l'expressionnisme ; un réalisme social : tous les ingrédients du film noir sont présents dans *Le Faucon maltais*, premier fleuron d'un genre cinématographique théorisé en 1946 par le critique français Nino Frank. Humphrey Bogart, formidable interprète du cynique Sam Spade, en sera l'une des figures emblématiques à travers ses rôles dans *Les Passagers de la nuit* (Delmer Daves) et *Le Grand Sommeil* (Howard Hawks). Cette brillante adaptation du roman de Dashiell Hammett est la première réalisation de John Huston, scénariste coté qui deviendra l'un des grands maîtres du cinéma américain.

Humphrey Bogart et l'objet de toutes les convoitises : la statuette du faucon maltais destinée autrefois à l'empereur Charles Quint.

Humphrey Bogart avec Mary Astor, le détective et la femme fatale. Le rôle de Sam Spade avait initialement été proposé à George Raft.

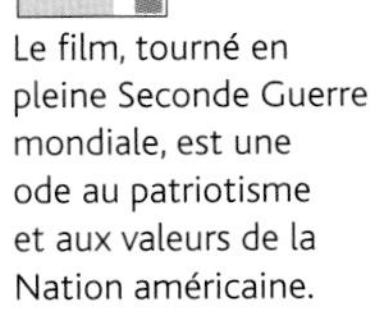

James Cagney (premier plan) au milieu des pom pom girls, de l'Oncle Sam et de la statue de la liberté dans l'une des nombreuses scènes musicales de *La Glorieuse Parade*.

Le film, tourné en pleine Seconde Guerre mondiale, est une ode au patriotisme et aux valeurs de la Nation américaine.

1943

1er Film en noir et blanc à être colorisé

LA GLORIEUSE PARADE

Dans les années 1980, le noir et blanc est peu à peu banni du prime time à la télévision. Afin de continuer à exploiter son riche catalogue de films sur les grandes chaînes américaines, le distributeur Ted Turner se lance en 1986 dans une politique de colorisation par ordinateur des « vieux » classiques hollywoodiens. Le premier titre concerné est un « biopic » très populaire aux États-Unis : *La Glorieuse Parade,* de Michael Curtiz (1943), un récit de la vie du roi de Broadway George M. Cohan qui se retrouve paré de teintes sépia... et plutôt kitsch ! L'initiative suscite la colère de cinéastes réputés comme Woody Allen et John Huston (il en sera lui-même victime pour *Quand la ville dort*), qui dénoncent une atteinte à l'intégrité artistique des œuvres. Le procédé, très coûteux, sera provisoirement abandonné au début des années quatre-vingt-dix avant de réapparaître grâce à l'essor du DVD, qui permet de montrer les films colorisés dans leurs deux versions : l'originelle et la « new look ».

Giovanna (Clara Calamai) et Gino (Massimo Girotti), les amants maudits du premier film de Luchino Visconti.

Gino (Massimo Girotti) et « l'Espagnol » (Elio Marcuzzo). De nombreuses scènes ont été tournées en extérieurs.

1943 1er Film néoréaliste

LES AMANTS DIABOLIQUES

Lorsqu'il découvre les rushes des *Amants diaboliques,* le chef-monteur Mario Serandrei invente le terme de « néoréalisme ». Le premier film de Luchino Visconti se situe en effet aux antipodes des comédies légères, des mélodrames aseptisés et des odes au nationalisme qui font alors l'ordinaire du cinéma italien. Pas d'intérieurs bourgeois ni de téléphones blancs dans cette adaptation du roman noir américain *Le Facteur sonne toujours deux fois* : Visconti, l'aristocrate communiste, leur préfère les prolétaires de la vallée du Pô écrasés par la misère. Pour le rôle principal, il transforme la star sophistiquée Clara Calamai en une serveuse épuisée par le travail. Si *Les Amants diaboliques* peut aujourd'hui sembler un peu théâtral, sa description quasi-documentaire d'un désespoir social jusque-là oublié par le 7e Art a symbolisé la naissance du courant majeur du cinéma de l'après-guerre. Deux ans plus tard, il débouchait sur un chef-d'œuvre : *Rome ville ouverte,* de Roberto Rossellini.

Donald en galante compagnie sur une plage mexicaine. *Les Trois Caballeros* avait été produit pour, entre autres, conquérir le marché latino-américain.

Donald et la chanteuse brésilienne Aurora Miranda. Les deux autres *toons* stars du film sont José, le perroquet carioca, et Panchito, le coq mexicain.

1944

1er Long métrage où cohabitent personnages animées et acteurs *LES TROIS CABALLEROS*

Donald Duck faisant le zouave sur une plage, quoi de plus normal ? Ce qui l'est moins, c'est de voir le canard de celluloïd entouré de ravissantes pin-up... en chair et en os. Film musical à sketches réalisé en 1944 au sein des studios Walt Disney, *Les Trois Caballeros* est le premier long métrage qui fait cohabiter personnages animés et acteurs dans les mêmes images. À l'écran, on peut ainsi découvrir des *toons* intégrés dans des décors réels... et la chanteuse mexicaine Carmen Molina danser avec des cactus animés dans un désert tout en dessins. La formule sera reproduite avec encore plus de succès en 1964 dans *Mary Poppins* (Ah, Julie Andrews et les pingouins !) puis en 1988 dans *Qui veut la peau de Roger Rabbit* où Bob Hoskins croise Mickey, Donald mais aussi Bugs Bunny, Daffy Duck et Betty Boop !

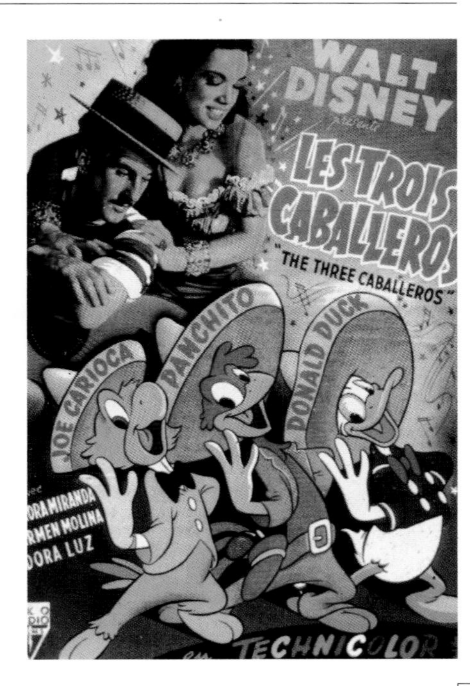

1946 **1er** Festival de Cannes

SEPT ANS D'ATTENTE

La première édition du Festival international de cinéma de Cannes devait débuter le 1er septembre 1939. Mais l'entrée des troupes allemandes en Pologne en décida autrement... Il faudra attendre l'après-guerre pour que le festival voie le jour. Quarante-quatre films sont projetés en compétition officielle du 20 septembre au 5 octobre 1946 dans l'ancien Casino de la ville – le premier Palais des Festivals, dit « Palais Croisette » ne sera inauguré que l'année suivante. Le jury se montre particulièrement généreux : pas moins de onze Grand Prix (la Palme d'or ne sera créée qu'en 1955) sont décernés ! Sont notamment récompensés *Rome ville ouverte* de Roberto Rossellini, *Le Poison* de Billy Wilder, *Brève rencontre* de David Lean et *La Symphonie pastorale* de Jean Delannoy. *La Bataille du rail,* de René Clément, reçoit le Grand Prix international de la mise en scène et le Prix du Jury international.

Michèle Morgan sur la Croisette. L'actrice reçoit le Grand Prix international de la meilleure interprétation féminine pour son rôle dans *La Symphonie pastorale*.

David Lean, réalisateur de *Brève rencontre,* et son actrice Celia Johnson, accueillis par les cheminots de la gare du Nord à Paris, avant de rejoindre Cannes.

Deux résistants sabotent une ligne de chemin de fer avant l'arrivée d'un train blindé allemand : une scène spectaculaire de *La Bataille du rail*.

Après avoir rendu hommage à la Résistance des cheminots, René Clément réalisera en 1966 *Paris brûle-t-il ?*, sur la libération de la capitale.

1946 1er Grand film consacré à la Résistance
LA BATAILLE DU RAIL

René Clément connaissait bien le monde ferroviaire pour avoir signé le documentaire *Ceux du rail* en 1943. C'est pourquoi, à la Libération, les cheminots se tournent vers lui pour réaliser un court métrage sur les actes de résistance du personnel de la SNCF pendant l'Occupation. Son travail est tellement apprécié qu'un budget est débloqué pour rallonger le film aux allures de reconstitution documentaire. *La Bataille du rail*, où se mêlent acteurs professionnels et authentiques travailleurs du rail, est resté célèbre pour la scène du déraillement du train blindé allemand. Le film obtient un succès considérable à sa sortie, autant pour sa vérité humaine que pour sa vision idéalisée de la Résistance. Les spectateurs de l'immédiat après-guerre pouvaient être rassurés : le combat contre l'envahisseur y est présenté comme la somme d'actions quotidiennes, anonymes et innombrables. Comme si toute la France avait été résistante...

L'hélicoptère utilisé pour les prises de vues de la première séquence du film de Nicholas Ray.

Cathy O'Donnell et Farley Granger, le couple magnifique et bouleversant des *Amants de la nuit*.

1947 1res Scènes filmées depuis un hélicoptère

LES AMANTS DE LA NUIT

Des caméras avaient déjà été embarquées dans des hélicoptères pour des prises de vues aériennes de villes ou de paysages. Mais en 1947, c'est la première fois que l'appareil à rotor est utilisé pour filmer des acteurs. Il fallut quatre prises à Nicholas Ray et à ses techniciens pour parvenir à maintenir le point sur Cathy O'Donnell et Farley Granger depuis un hélicoptère en vol. La séquence est la première des *Amants de la nuit*, futur classique du film noir. C'est aussi la toute première jamais tournée par le futur réalisateur de *La Fureur de vivre*, Nicholas Ray.

Une séquence inoubliable

Les séquences tournées depuis un hélicoptère sont aujourd'hui une figure obligée du cinéma d'action et notamment des films de guerre. Mais la plus impressionnante d'entre elles reste le générique de *Shining* (Stanley Kubrick, 1980) où la caméra accompagne la voiture de Jack Nicholson jusqu'à l'hôtel isolé dans la montagne.

Hamlet dans le célèbre monologue « Être ou ne pas être » avec le crâne de Yorick entre les mains et aussi à la cour du roi du Danemark.

Laurence Olivier sur le tournage de *Hamlet*. Le réalisateur anglais fut l'un des plus grands comédiens shakespeariens des années quarante et cinquante.

Oscar du meilleur acteur pour un réalisateur
LAURENCE OLIVIER DANS *HAMLET*

Comédien de théâtre avant tout, le Britannique Laurence Olivier n'a jamais été à l'aise à Hollywood. Il restera pourtant le premier réalisateur à avoir reçu l'Oscar du meilleur acteur pour un film qu'il dirigeait. En 1948, les votants de l'Academy of Motion Pictures ont récompensé son interprétation habitée de *Hamlet,* la deuxième de ses adaptations des pièces de Shakespeare à l'écran (il y eut *Henry V* en 1944, il y aura *Richard III* en 1955). Les cheveux péroxydés, le teint livide, Laurence Olivier incarne un prince du Danemark terriblement humain. Et bouleversant.

Les acteurs réalisateurs

Un autre comédien-cinéaste a reçu l'Oscar du meilleur acteur pour un film qu'il avait réalisé : Roberto Benigni pour *La Vie est belle,* en 1998. Warren Beatty (pour *Reds* en 1982) et Kevin Costner (pour *Danse avec les loups* en 1991) ont, eux, reçu la statuette du meilleur réalisateur pour des films dans lesquels ils tenaient le premier rôle.

1949

1er Film d'humour « british »
NOBLESSE OBLIGE

Rejeté par son aristocratique famille maternelle, qui le considère comme un bâtard, un jeune homme sans le sou se venge en exterminant un par un les membres dégénérés de sa prestigieuse lignée. Le sujet de *Noblesse oblige*, de Robert Hamer, donne le ton de l'école dite « de l'humour anglais d'après-guerre » : un *five o'clock tea* où le nuage de lait serait remplacé par une goutte d'arsenic... Ce mélange d'absurde et de macabre, d'élégance et de rosserie, de divertissement et de critique sociale va devenir la marque de fabrique des studios londoniens Ealing et de son plus illustre représentant, Alexander Mackendrick, auteur des hilarants *Whisky à gogo* et *Tueurs de dames*.

L'une des huit métamorphoses d'Alec Guinness dans *Noblesse oblige*. Dans cette scène, il interprète un pasteur alcoolique.

Alec Guinness (au centre), l'acteur-caméléon, en amiral corrompu et bientôt submersible.

Un acteur caméléon

Le succès de *Noblesse oblige* doit beaucoup à la performance d'Alec Guinness qui interprète à lui tout seul les huit d'Ascoyne assassinés par le héros. Soit, entre autres, un duc, un pasteur, un banquier, un général, un amiral et... une lady !

La Palme modernisée

Le trophée de la Palme d'or a été modernisé en 1992, puis en 1997 par le joaillier suisse Chopard. La Palme new look compte 19 feuilles pour une valeur de 24 carats.

Abonné aux seconds rôles de méchants, Ernest Borgnine obtient enfin, grâce à *Marty,* un premier rôle de gentil. Oscar du meilleur acteur à la clé.

Ernest Borgnine dans *Marty.* Le film, produit par l'acteur Burt Lancaster, est un remake d'un téléfilm de 1953 avec Rod Steiger dans le rôle-titre.

1955

1re Palme d'Or *MARTY*

Intitulée « Grand Prix » depuis la première édition en 1946, la plus haute récompense du festival de Cannes devient la « Palme d'or » en 1955. Le délégué général Robert Favre Le Bret demande à des joailliers de toute l'Europe de concevoir un trophée qui reprendrait, comme symbole de la victoire, le motif de la palme figurant sur le vieux blason de la cité cannoise. Le conseil d'administration du festival choisit le modèle dessiné par la Parisienne Lucienne Lazon. Le jury, présidé par l'écrivain-cinéaste Marcel Pagnol, décerne la première Palme d'or de l'histoire à un premier film américain, *Marty,* de Delbert Mann. L'histoire simple et émouvante de gens modestes et solitaires, Marty le boucher (Ernest Borgnine) et Clara l'institutrice (Betsy Blair), dans leur apprentissage difficile vers l'amour.

La duchesse Giselle du Grand (Gianna Maria Canale), dans l'escalier gothique de son château parisien. Le décor des *Vampires* rappelle l'univers des nouvelles d'Edgar Poe.

1956 **1er** Film d'horreur

LES VAMPIRES

Depuis les années vingt, le vampire est une figure familière des écrans. Mais en 1956, le film d'épouvante à la Dracula se transforme en film d'horreur grâce à l'Italien Riccardo Freda et à son idée de scénario géniale : une duchesse utilise le sang de jeunes filles non pour se nourrir, mais pour ne pas vieillir. Le vampirisme, dans sa version moderne, devient médical : ce sont les transfusions forcées, assimilées par le réalisateur à un « vol de jeunesse ». Pour Freda, la « fausse immortalité » de la duchesse Du Grand est « l'incarnation de l'horreur ». Démonstration dans une scène traumatisante où le visage lisse de Gianna Maria Canale se métamorphose en un atroce amas de chairs ridées...

Le truc des producteurs

Les producteurs des *Vampires* avaient engagé deux actrices pour assurer une « claque » originale dans les cinémas de Rome. Au milieu du film, elles hurlaient, puis simulaient la transe, avant d'être évacuées sur un brancard. Effet pétrifiant garanti sur les autres spectateurs...

1959 1er Succès de la Nouvelle vague

LES QUATRE CENTS COUPS

Le 4 mai 1959 marque la naissance publique de la Nouvelle vague. Ce soir-là, François Truffaut, un brillant et polémique critique de cinéma de 27 ans, présente son premier long métrage en sélection officielle à Cannes. La salle, puis, un mois plus tard, le grand public, font un triomphe au réalisateur des *Quatre cents coups*, et à son acteur, un adolescent rieur nommé Jean-Pierre Léaud. Dans les *Cahiers du cinéma*, Jacques Doniol-Valcroze écrit : « Éclatée en début de festival, la bombe Truffaut aura retenti jusqu'à la fin et son écho se prolongera longtemps ». Film autoportrait, tourné en décors naturels et en liberté, *Les Quatre cents coups* va donner un coup de jeune à un cinéma de studios prisonnier de l'académisme poussiéreux de la « qualité française ». La sortie en mars 1960 d'*À bout de souffle*, signé par Jean-Luc Godard d'après une histoire originale de son ami Truffaut, parachève la victoire de la Nouvelle vague sur le « vieux cinéma ».

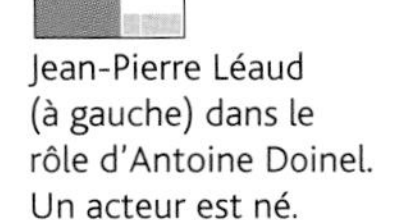

Jean-Pierre Léaud (à gauche) dans le rôle d'Antoine Doinel. Un acteur est né.

François Truffaut sur le tournage des *Quatre cents coups*. Un cinéaste est né.

La princesse Helen (Anne Helm), captive du terrible sorcier Lodac et de ses créatures infernales.

Une des nombreuses scènes avec effets spéciaux « à l'ancienne » de *L'Épée enchantée*.

1961

1er Film d'heroic fantasy *L'ÉPÉE ENCHANTÉE*

L'heroic fantasy au cinéma n'a pas démarré avec *Le Seigneur des anneaux*. Dès 1961, l'Américain Bert I. Gordon, remarqué jusque-là pour ses films de science-fiction (*Soudain les monstres*, *L'Empire des fourmis géantes*, etc.) plongeait dans l'univers merveilleux des gentils elfes et des méchants sorciers. Dans *L'Épée enchantée*, un mage cruel (Basil Rathbone, plus connu pour ses interprétations de Sherlock Holmes) séquestre une jolie princesse dans un château gardé par un dragon à deux têtes. Pour la délivrer, le fils d'une sorcière aura bien besoin de sa fidèle épée magique Ascalon pour affronter les forces du Mal dans sept épreuves terrifiantes... Autant de prétextes pour des scènes avec trucages qui, un demi-siècle après leur tournage, ont pris un petit coup de vieux. L'ensemble, filmé dans un Technicolor hors d'âge, ne manque pas de kitsch, mais après tout, n'est-ce pas ce qui fait aussi le charme de l'heroic fantasy ?

L'action de *Barravento* se déroule dans un village de pêcheurs de Bahia, où un rite ancestral maintient la population dans l'obscurantisme religieux.

Le héros du film, Firmino (Antonio Sampaio). L'ouvrier éduqué à la ville qui revient au village. Celui par qui le scandale et la tragédie arrivent...

1962 1er Film du *Cinema novo* brésilien

BARRAVENTO

Le cinéma des années soixante est placé sous le signe de la nouveauté. Si la France surfe sur la Nouvelle vague, le Brésil, lui, est bousculé par le *Cinema novo* de Glauber Rocha. Ce journaliste préconise un 7e Art fait avec peu de moyens, sans studio ni argent, mais « avec une idée dans la tête et une caméra à la main ». Le *Cinema novo* sera « fait de la faim », « nerf de la société », selon Rocha : il lui faudra exister dans les contraintes du sous-développement pour mieux montrer ce sous-développement et le combattre. Enraciné dans la culture brésilienne, le *Cinema novo* a donc valeur de modèle pour l'ensemble du Tiers monde. À 24 ans, Glauber Rocha passe de la théorie à la pratique en remplaçant le réalisateur Luiz Paulino dos Santos sur le tournage de *Barravento*. Par son mélange de tradition et de modernité, de local et d'universel, de spirituel et de charnel, ce coup d'essai inégal annonce le chef-d'œuvre foisonnant de Rocha, *Le Dieu noir et le Diable blond* (1963).

Ursula Andress dans son fameux bikini blanc à ceinture et Sean Connery sur une plage jamaïcaine. Attention, scène culte.

La première scène de *Docteur No,* à la table de baccara :
« – J'admire votre chance ; monsieur... ?
– Bond. JAMES Bond. »

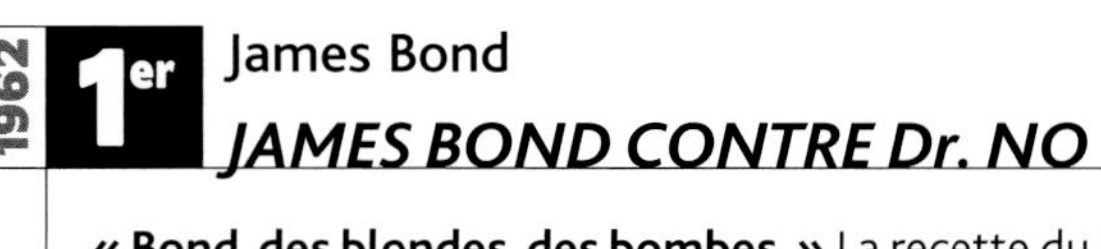

1962 1er

James Bond
JAMES BOND CONTRE Dr. NO

« Bond, des blondes, des bombes. » La recette du romancier Ian Fleming est appliquée à la lettre par Terence Young quand il adapte pour la première fois les aventures de l'espion britannique. Dans *James Bond contre Dr. No,* on trouve donc des bagarres et des fusillades, des créatures de rêve (Ursula Andress en bikini sur une plage de Jamaïque, l'une des apparitions les plus sexy de l'histoire du cinéma) et un héros espion aussi invincible que séducteur (et pour cause, c'est le très mâle Sean Connery). Le film, conçu comme une modeste série B, connaît aussitôt un triomphe planétaire. Vingt-deux autres suivront (série en cours) avec toujours plus de « blondes » et de « bombes »...

Un rôle envié

Cinq acteurs ont succédé à Sean Connery dans le rôle de l'agent 007: George Lazenby, Roger Moore, Timothy Dalton, Pierce Brosnan et, aujourd'hui, Daniel Craig.

1963 — 1er Film du courant dit du « Printemps de Prague »

L'AS DE PIQUE

Au début des années soixante, les pays d'Europe de l'Est sont soumis à la dictature des régimes communistes imposés par l'URSS. Le cinéma, soumis aux diktats du « réalisme socialiste », n'échappe pas à cette chape de plomb. Mais en Tchécoslovaquie, un réalisateur tout juste trentenaire nommé Milos Forman profite de contrôles un peu moins tatillons pour tourner un film en relative liberté. À travers le portrait d'un adolescent qui découvre les désillusions du monde du travail, *L'As de pique* fait souffler un vent d'anticonformisme et de satire sociale. D'autres anciens étudiants de l'école de cinéma de Prague (la FAMU) en profiteront pour tourner des films tout aussi corrosifs comme *Trains étroitement surveillés* (Jiri Menzel) ou *Les Petites Marguerites* (Vera Chytilova). Jusqu'au mois de mai de l'année 1968, quand les chars soviétiques mettent brutalement fin à l'expérience démocratique du Printemps de Prague.

Scènes de *L'As de pique*, le premier long métrage du réalisateur Milos Forman. Le cinéaste tchécoslovaque s'exilera en 1968 aux États-Unis, où il obtiendra plusieurs Oscars.

Comme la Nouvelle vague en France et le *Cinema novo* au Brésil, les films tchécoslovaques des années soixante font souffler un vent de jeunesse et de liberté à l'Est.

Des précurseurs surréalistes

Si *Blood Feast* est le premier film 100% pur gore, la première scène gore date de 1928 : il s'agit de l'œil humain découpé au rasoir dans *Un chien andalou,* de Luis Buñuel et Salvador Dali. Mais c'était en noir et blanc...

Les conséquences d'une trépanation sans anesthésie. Une des nombreuses scènes-choc proposées par Herschell Gordon Lewis dans *Blood Feast*.

1963 — 1er Film gore
BLOOD FEAST

Du sang, des tripes et des boyaux. C'est le menu du cinéma gore (« sang », en anglais), où rien n'est suggéré, tout est exposé, si possible en couleurs et en gros plan. Après s'être fait la main, si l'on ose dire, dans les films érotiques, l'Américain Herschell Gordon Lewis tourne en 1963 le bien nommé *Blood Feast* (« festin de sang »). Le scalp avec extraction de cerveau et l'arrachage à mains nues d'une langue obtiennent un franc succès dans les salles où les spectateurs hurlent de terreur, rigolent, vomissent, voire s'évanouissent. Toutefois, au regard des tortures toujours plus ignobles inventées aujourd'hui pour les films de la série *Saw,* les exactions de *Blood Feast* deviendraient presque anodines...

Sidney Poitier dans le rôle de Homer Smith face à une religieuse du *Lys des champs*, de Ralph Nelson.

Sidney Poitier, originaire des Bahamas, fut la première star noire de Hollywood.

Né en 1927, Sidney Poitier personnifia à l'écran une assimilation réussie de l'homme noir à la société blanche dominante aux États-Unis.

1963 – 1er Oscar du meilleur acteur pour un Noir

SIDNEY POITIER, *LE LYS DES CHAMPS*

1963 est une date-clé pour le mouvement des droits civiques en faveur des Noirs : un million d'Afro-américains marchent sur Washington, le pasteur Martin Luther King prononce son fameux « I Have a Dream »… et Sidney Poitier devient la première star de couleur à obtenir l'Oscar du meilleur acteur. Le film qui lui vaut cette récompense *(Le Lys des champs)* est épouvantable, son rôle (un homme à tout faire serviable), caricatural, mais qu'importe : le symbole est d'importance à une époque où la discrimination raciale est encore la norme dans de nombreux États du Sud. Il faudra toutefois attendre trente-neuf ans pour voir un deuxième acteur noir, Denzel Washington, récompensé par le même trophée, la même année où la *black and beautiful* Halle Berry reçoit l'Oscar de la meilleure actrice. Depuis, Jamie Foxx et Forest Whitaker les ont imités, prouvant l'importance croissante des Noirs à Hollywood.

Geneviève (Catherine Deneuve) et sa mère, Madame Emery (Anne Vernon) dans leur boutique de parapluies colorée à Cherbourg.

Les Parapluies de Cherbourg est le premier grand succès de Catherine Deneuve. L'actrice a été doublée pour toutes les chansons.

1re Comédie musicale entièrement chantée

LES PARAPLUIES DE CHERBOURG

Dans les comédies musicales avec Fred Astaire ou Gene Kelly, les chansons alternent avec les séquences dialoguées.

Admirateur des *musicals* hollywoodiens, Jacques Demy va les dépasser en audace : *Les Parapluies de Cherbourg* sera le premier long métrage intégralement chanté. Le jeune réalisateur, compagnon de route de la Nouvelle vague, refuse le confort du studio : il préfère tourner en extérieurs, dans les rues de Cherbourg dont il fait repeindre des façades pour mieux « faire chanter les couleurs ». Le phrasé particulier des paroles, leur absence de rimes auraient pu dérouter. Les jurés du Festival de Cannes – où le film reçoit la Palme d'or – puis le grand public feront pourtant un triomphe à ce film « en-chanté » et enchanteur, bouleversés par l'histoire d'amour entre Geneviève, la marchande de parapluies (Catherine Deneuve, dans son premier grand rôle) et Guy, le gentil garagiste mobilisé en Algérie, au son des mélodies déchirantes de Michel Legrand.

1968 **1er** Film classé X aux États-Unis

GREETINGS

Le 1er novembre 1968, les représentants des studios hollywoodiens mettent en place un système de classification des films en quatre lettres : de G (pour *General Audiences*, autrement dit « Tous publics ») à X, qui prohibe l'accès aux salles aux moins de 18 ans pour les films contenant des scène de grande violence et/ou de nudité. Le premier long métrage estampillé X sort le 15 décembre aux États-Unis. *Greetings*, film à tout petit budget de Brian De Palma, est un portrait sur le vif (et en partie improvisé) de la contre-culture américaine dans le New York contestataire de la fin des sixties. Liberté sexuelle et (nombreuses) scènes de nus féminins incluses, ce qui explique l'interdiction aux mineurs. À l'époque, le classement X n'était pas l'apanage des films pornographiques, ni forcément un frein commercial : en 1969, *Macadam Cowboy*, avec Dustin Hoffman et Jon Voight, fait un carton en salles avant de récolter l'Oscar du meilleur film.

Robert De Niro en galante compagnie dans *Greetings*. La future star de *Taxi Driver*, alors âgée de 25 ans, interprète un aspirant cinéaste et un voyeur.

Robert de Niro dans *Greetings*. Le film de Brian De Palma a, depuis, été reclassifié « R », soit interdit aux moins de 17 ans non accompagnés d'un adulte.

Jack Nicholson dans le rôle de George Hanson. Le tournage d'*Easy Rider* fut marqué par la trilogie « sexe, drogues et rock'n'roll ».

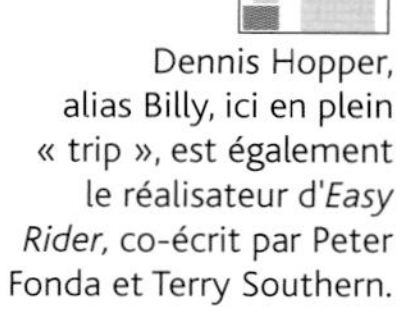

Dennis Hopper, alias Billy, ici en plein « trip », est également le réalisateur d'*Easy Rider*, co-écrit par Peter Fonda et Terry Southern.

Dennis Hopper et Peter Fonda, les cow-boys libertaires et désanchantés de la génération hippie. Les motos ont remplacé les chevaux...

Road-movie
EASY RIDER

Born to be wild... En 1969, les chevelus Peter Fonda et Dennis Hopper enfourchent leur moto pour traverser les États-Unis au son de Bob Dylan et de Jimi Hendrix. Film-culte de la contre-culture, *Easy Rider* est le fondateur du road-movie – le cinéma de la route. Un genre fécond, ode à la liberté, mais souvent empreint de pessimisme, qui, de *Macadam à deux voies* (Monte Hellman) à *Into the Wild* (Sean Penn) en passant par *Thelma et Louise* (Ridley Scott), décrit autant le malaise existentiel de personnages errants qu'il critique l'Amérique profonde, puritaine et intolérante.

Le film d'une génération

Triomphe commercial, *Easy Rider* permit à la génération rock'n'roll de prendre (temporairement) le pouvoir à Hollywood dans les années soixante-dix. Sans Captain America et sa Harley Davidson, Coppola et Scorsese n'auraient jamais pu tourner *Le Parrain* et *Taxi Driver*.

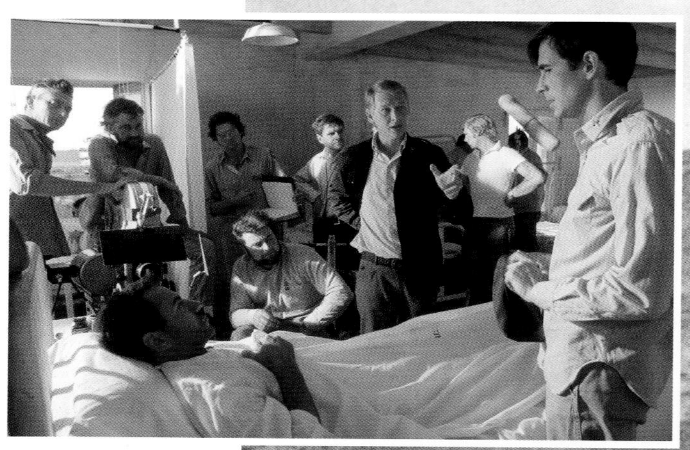

Mike Nichols (veste bleue) dirige Anthony Perkins (à droite) et Alan Arkin (allongé) sur le plateau de *Catch 22*.

Catch 22 est adapté d'un roman très populaire, sorti en 1961 aux États-Unis, de Joseph Heller, qui a lui-même été un temps bombardier pendant la guerre.

Alan Arkin et Paula Prentiss dans *Catch 22.* Dans le film, un pilote américain de la Seconde Guerre mondiale simule la folie pour se faire réformer.

1970 1er

Cinéaste américain payé 1 million de dollars

MIKE NICHOLS POUR *CATCH 22*

Vedette des théâtres de Broadway grâce au duo comique qu'il forme avec une autre future cinéaste, Elaine May, l'Américain Mike Nichols obtient l'oscar du meilleur réalisateur dès son deuxième long métrage, *Le Lauréat,* en 1968. Le succès triomphal du film avec Dustin Hoffman marque le début du « Nouvel Hollywood » : les jeunes cinéastes, souvent influencés par la Nouvelle vague, prennent (temporairement) le pouvoir dans les vieux studios où ils parviennent à imposer leurs exigences artistiques... et financières. À 39 ans, Mike Nichols obtient un million de dollars pour réaliser *Catch 22,* un film de guerre antimilitariste à gros budget adapté du roman satirique de Joseph Heller. Ce salaire record à l'époque ferait pourtant aujourd'hui figure de simple pourboire : pour son remake de *King Kong* en 2005, le Néo-Zélandais Peter Jackson a touché 20 millions de dollars. Plus 20% d'intéressement sur les bénéfices colossaux réalisés par le film...

Alex (Malcolm McDowell) dans deux scènes-choc d'*Orange mécanique* : le viol de l'artiste aux chats et la thérapie « antiviolence » extrême du jeune voyou.

Stanley Kubrick, petite caméra à la main, sur le tournage d'*Orange mécanique*.

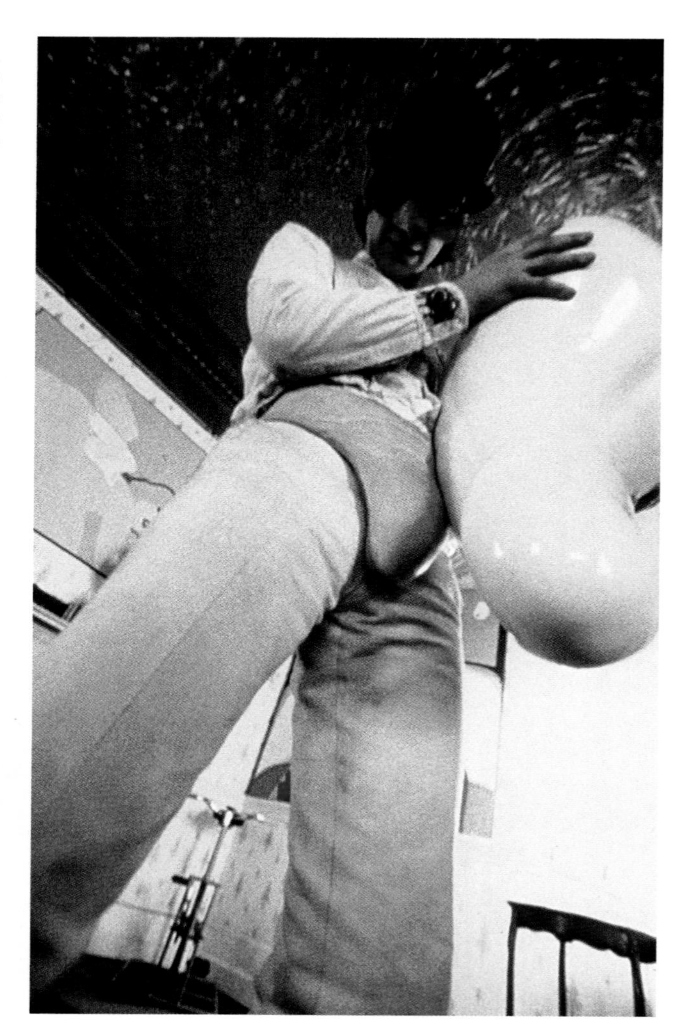

Le son « surround » ■

Le Dolby connaîtra une nouvelle avancée à partir de 1976 : l'effet « Stereo surround » qui permet la restitution du son par de multiples enceintes à partir de seulement deux pistes.

1971

1er Film avec utilisation du Dolby *ORANGE MÉCANIQUE*

L'histoire du cinéma est jalonnée d'innovations visuelles, mais aussi sonores. En 1966, l'Américain Ray Dolby lance le premier appareil pour atténuer le bruit de fond, et notamment les souffles parasites, sur les bandes magnétiques. Réservé au départ aux studios d'enregistrement phonographiques, le « Dolby NR » est étendu en 1971 au cinéma. Artiste perfectionniste, à l'affût des derniers progrès technologiques, Stanley Kubrick sera le premier cinéaste à l'utiliser, pour *Orange mécanique*. Les interprétations aux synthétiseurs de Beethoven par Walter Carlos y gagneront une puissance inédite. Même si, pour cette première, le Dolby n'a été utilisé que pour l'enregistrement et le mixage de la musique, et pas sur les pistes optiques des pellicules projetées dans les salles...

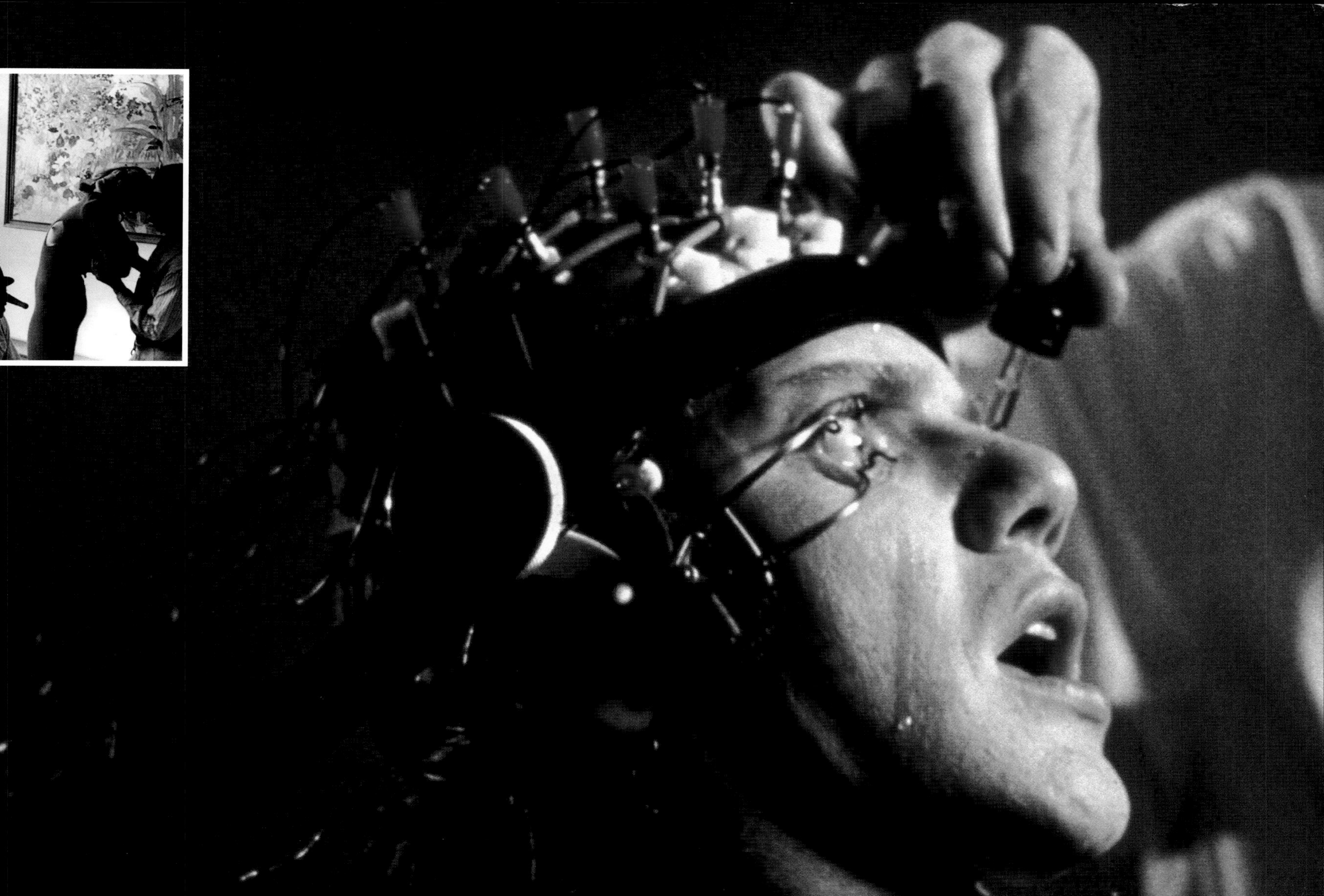

Le Mystère Andromède. Un film à déconseiller aux hypocondriaques, aux paranoïaques, mais aussi aux claustrophobes : une bonne partie de l'action se déroule dans un laboratoire à huis clos.

Un surdoué des effets spéciaux

Douglas Trumbull a également supervisé les effets spéciaux de *Rencontres du troisième type* (Steven Spielberg), de *Star Trek* (Robert Wise) et de *Blade Runner* (Ridley Scott).

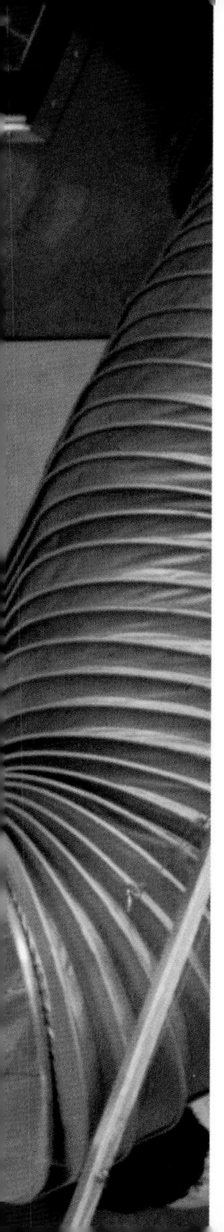

Robert Wise (assis au centre) sur le tournage du *Mystère Andromède*. Il réalisera huit ans plus tard le premier *Star Trek* au cinéma.

Le Dr Ruth Leavitt (interprété par Kate Reid), l'une des scientifiques enfermées avec le virus extraterrestre pour élaborer un antidote.

1971 1ers

Effets spéciaux numériques
LE MYSTÈRE ANDROMÈDE

Douglas Trumbull avait révolutionné les effets spéciaux par son travail sur la photographie de *2001, l'Odyssée de l'espace*, de Stanley Kubrick, en 1968. Trois ans plus tard, il innove encore en utilisant pour la première fois des trucages numériques dans un film. *Le Mystère Andromède,* de Robert Wise, est un bon exemple de la science-fiction paranoïaque à la mode dans le Hollywood des années 70. Inspiré d'un roman de Michael Crichton, le film raconte la course contre la montre de scientifiques chargés de trouver un antidote à un virus extraterrestre redoutable : il transforme le sang humain en poudre... L'utilisation de l'ordinateur va permettre à Trumbull de donner une forme étonnante au fameux virus : un cristal vert qui se multiplie sous les yeux du spectateur.

1972 **1er**

Dessin animé classé X
FRITZ LE CHAT

Quand on évoque les films classés X, on pense forcément au cinéma pornographique, éventuellement aux « œuvres faisant l'apologie de la violence », mais jamais aux dessins animés. *Fritz le Chat* détient pourtant l'honneur d'être le premier – et l'un des seuls – film d'animation à avoir été officiellement interdit aux moins de 18 ans. Il faut dire que le réalisateur Ralph Bakshi n'avait pas lésiné question provocation : le gentil minou du titre est un obsédé sexuel doublé d'un anarchiste qui, après une orgie dans un appartement enfumé de haschisch, affronte la police, brûle les livres à l'université et va prôner la bonne parole subversive dans les rues de Harlem ! L'anti-Mickey en somme... En dépit de son cachet « réservé aux adultes », ou peut-être grâce à lui, *Fritz le Chat* fit un carton commercial, bien au-delà des admirateurs de la contre-culture auxquels il était initialement destiné.

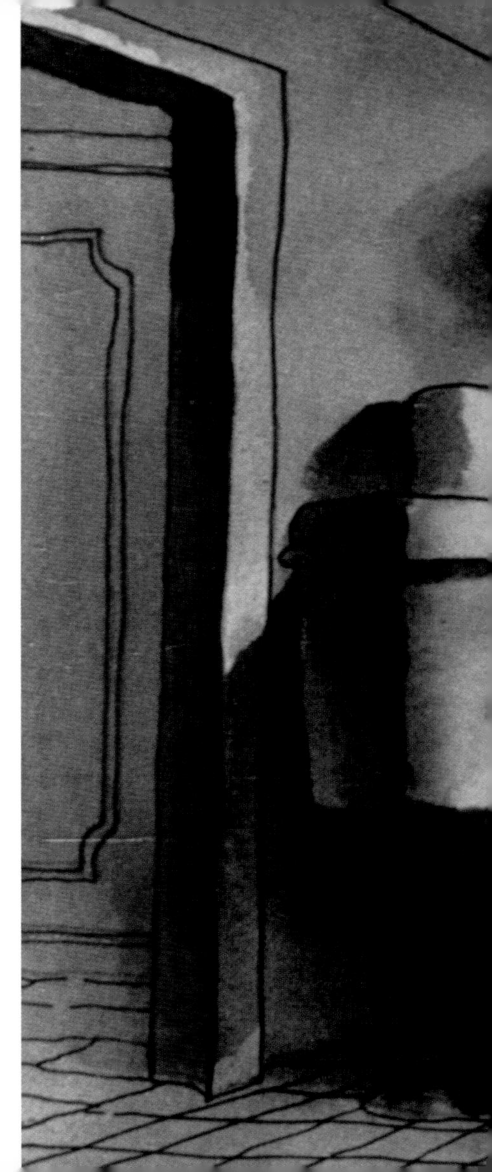

Tentative d'orgie dans *Fritz le Chat*. Sexe, drogues, rock'n'roll et politique : on est loin de « l'univers enchanté » de Disney.

Fritz le matou en pleine action. Le personnage est une création de l'auteur de bandes dessinées Robert Crumb, qui désavoua le film de Ralph Bakshi.

À la suite d'un tremblement de terre sous-marin, une vague géante déferle sur le paquebot de luxe et le retourne. À vous dégoûter des croisières.

Gene Hackman lutte contre la montée des eaux dans *L'Aventure du Poséidon*. L'abondance de stars au générique est une constante du film-catastrophe.

1972 **1er** Film catastrophe

L'AVENTURE DU POSÉIDON

Un désastre spectaculaire, de préférence à huis clos, et des personnages aux caractères opposés qui luttent pour leur survie : ce sont les ingrédients du film-catastrophe, un sous-genre du cinéma d'aventures hollywoodien qui connut son heure de gloire dans les années soixante-dix puis un bref retour de flammes à la fin du deuxième millénaire grâce à *Titanic*, de James Cameron, plus grand succès de l'histoire du cinéma. Avant le gratte-ciel en feu de *La Tour infernale*, avant le séisme dantesque de *Tremblement de terre*, *L'Aventure du Poséidon*, de Ronald Neame, avait montré la voie avec son paquebot de luxe, et ses centaines de passagers à bord, retourné comme une crêpe par un tsunami. Le film, comme tous ses congénères, a plutôt mal vieilli. Mais la scène où les survivants escaladent le sapin de Noël pour échapper à la montée des eaux fait toujours son petit effet...

Keith Carradine dans *Nashville*. « I'm Easy », le titre qu'il a composé pour le film, obtiendra l'Oscar de la meilleur chanson.

Lily Tomlin en tenue gospel sur la scène. Son interprétation lui vaudra une nomination à l'Oscar du meilleur second rôle.

Richard Baskin, qui joue le rôle de Frog, a écrit et/ou composé plusieurs chansons pour le film de Robert Altman.

1975 **1er** Film américain avec une musique jouée « live » durant le tournage

NASHVILLE

Nashville est la capitale de la country. La musique joue donc un rôle capital dans le film que Robert Altman a tourné en 1975 dans le fief du Tennessee. Le réalisateur imagine vingt-quatre personnages, pour beaucoup musiciens ou chanteurs, dont les destins vont se croiser pendant une campagne électorale. Les acteurs sont invités à écrire non seulement leurs dialogues mais aussi leurs chansons. Avant de les interpréter eux-mêmes devant la caméra... Plutôt que d'enregistrer les chansons en studio puis de les diffuser en playback sur le tournage, Altman décide qu'elles seront toutes jouées « live » sur le tournage. Le film y gagne un réalisme quasi-documentaire, une authenticité qui culmine dans les scènes tournées pendant le « Grand Ole Opry », le show radiophonique mythique de Nashville.

Un précédent en Europe

Dans *Chronique d'Anna Magdalena Bach*, de Jean-Marie Straub et Danièle Huillet, les musiciens de Nikolaus Harnoncourt interprètent en direct des partitions de Bach.

Frédéric Andréi, le jeune postier-mélomane de *Diva* avec la toute jeune Thuy An Luu. Gérard Darmon et Dominique « J'aime pas » Pinon, quant à eux, campent les deux tueurs.

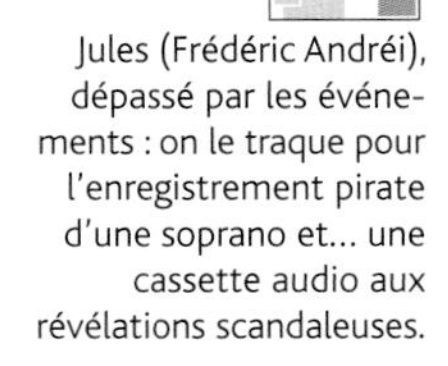

Jules (Frédéric Andréi), dépassé par les événements : on le traque pour l'enregistrement pirate d'une soprano et... une cassette audio aux révélations scandaleuses.

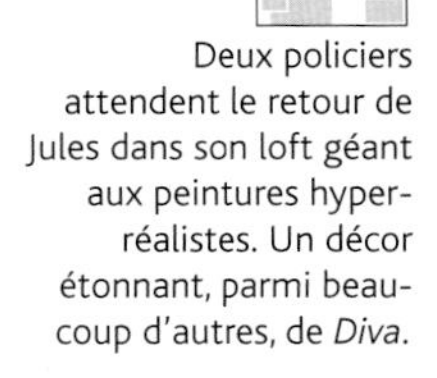

Deux policiers attendent le retour de Jules dans son loft géant aux peintures hyperréalistes. Un décor étonnant, parmi beaucoup d'autres, de *Diva*.

1981

1er Film du courant « Nouvelles images »
DIVA

Souvenez-vous : la traction blanche qui brille au pied du phare, les décors nimbés de bleu jusqu'à l'overdose, Richard Bohringer qui devise sur l'art de la tartine en se confectionnant un sandwich au caviar de la taille d'une baguette... *Diva,* premier long métrage de Jean-Jacques Beineix est LE film emblématique des années 1980, années chic et années frime. Le coup d'essai, coup de maître d'un mouvement très (et souvent trop) influencé par l'esthétique publicitaire. Principales caractéristiques de ce courant dit des « Nouvelles images » : des compositions visuelles ultra-sophistiquées où la sensation pure prime sur le sens. Si Beineix sera qualifié de loser ringard dès *La Lune dans le caniveau* en 1984, son rival, Luc Besson, multipliera les succès publics avec *Subway, Le Grand Bleu* ou encore *Nikita*. Au point de devenir un poids lourd du cinéma français...

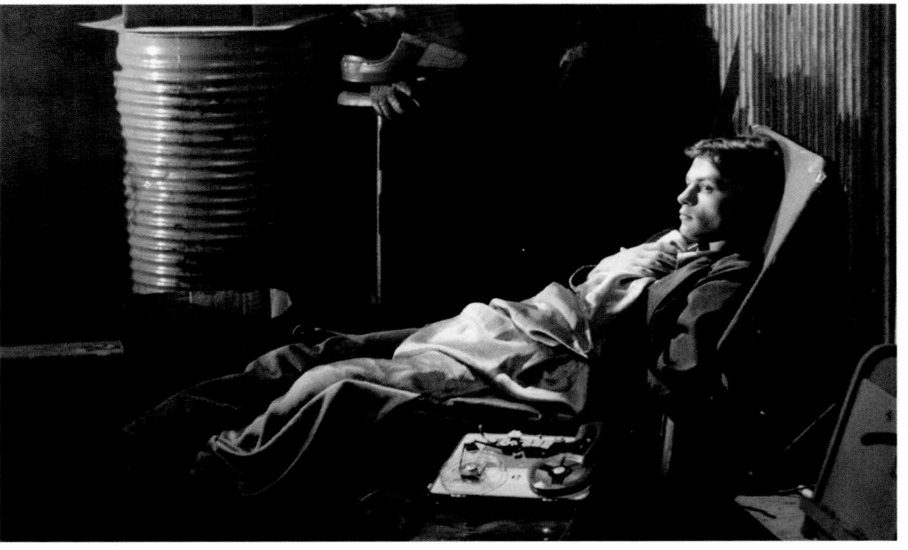

1981

1er Long métrage incluant des images de synthèse *TRON*

Passionné d'informatique, le réalisateur Steven Lisberger parvient à vendre aux studios Disney un projet fou : un film d'action avec acteurs, où la majorité des images seraient conçues sur ordinateur. *Tron* devient ainsi le premier long métrage où les images de synthèse ne sont plus seulement utilisées dans les effets spéciaux, mais participent de la conception d'un monde virtuel. Peut-être trop en avance sur son temps, le film fut un échec cuisant. Il fait pourtant aujourd'hui l'objet d'un culte auprès des cinéphiles les plus *geeks*, autant pour son esthétique (des lignes géométriques parfaitement lisses) que pour sa vision prophétique (*Tron* annonce le règne de l'ordinateur portable et anticipe de vingt ans les critiques sur le quasi-monopole de Microsoft).

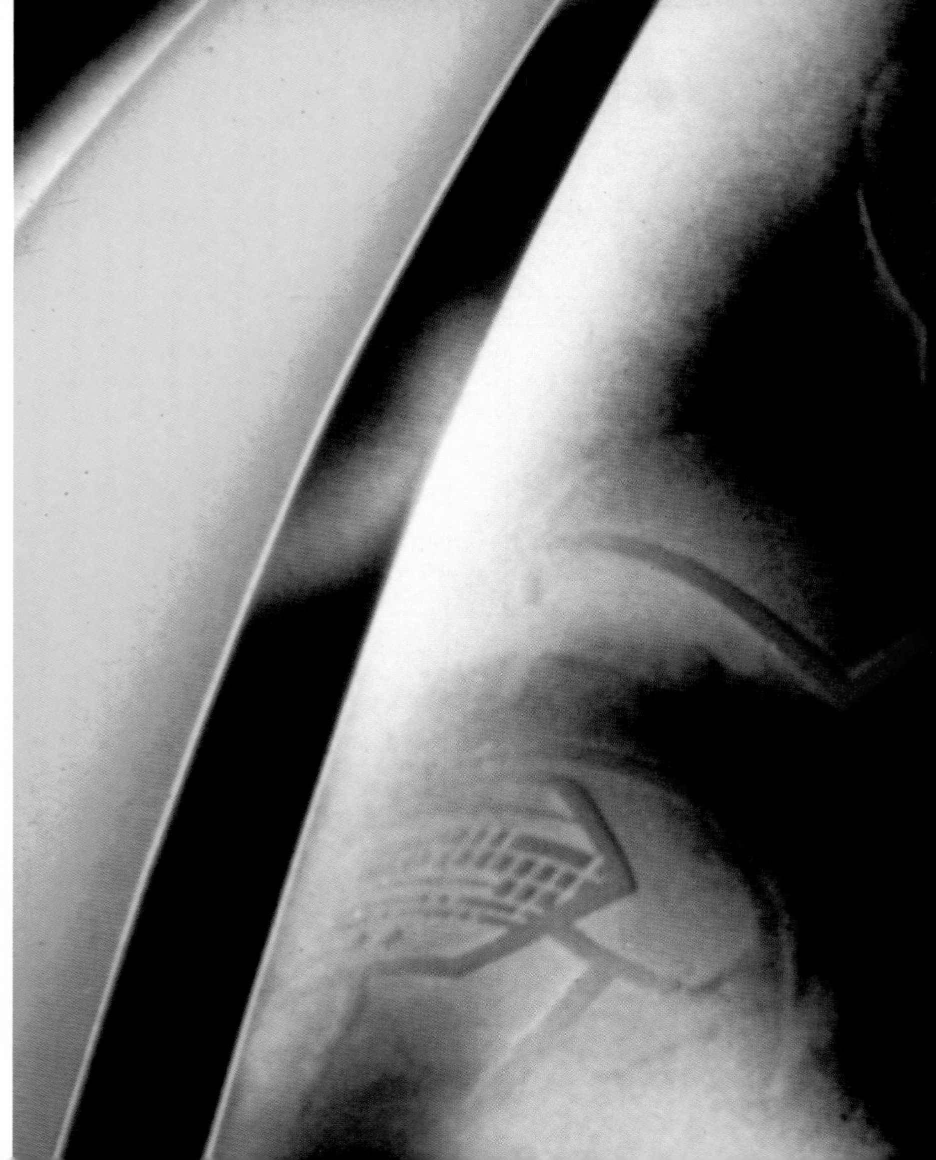

La course de voitures aux allures de jeu vidéo. La séquence la plus spectaculaire de *Tron*.

Flynn (Jeff Bridges), le héros de *Tron*, est désintégré par le système de protection du trust Encom. Il va accéder à une autre dimension : le monde électronique.

Trente ans après...

Une suite, baptisée *Tron 2.0* et écrite par deux des auteurs de la série télévisée *Lost*, devrait arriver sur les écrans en 2011.

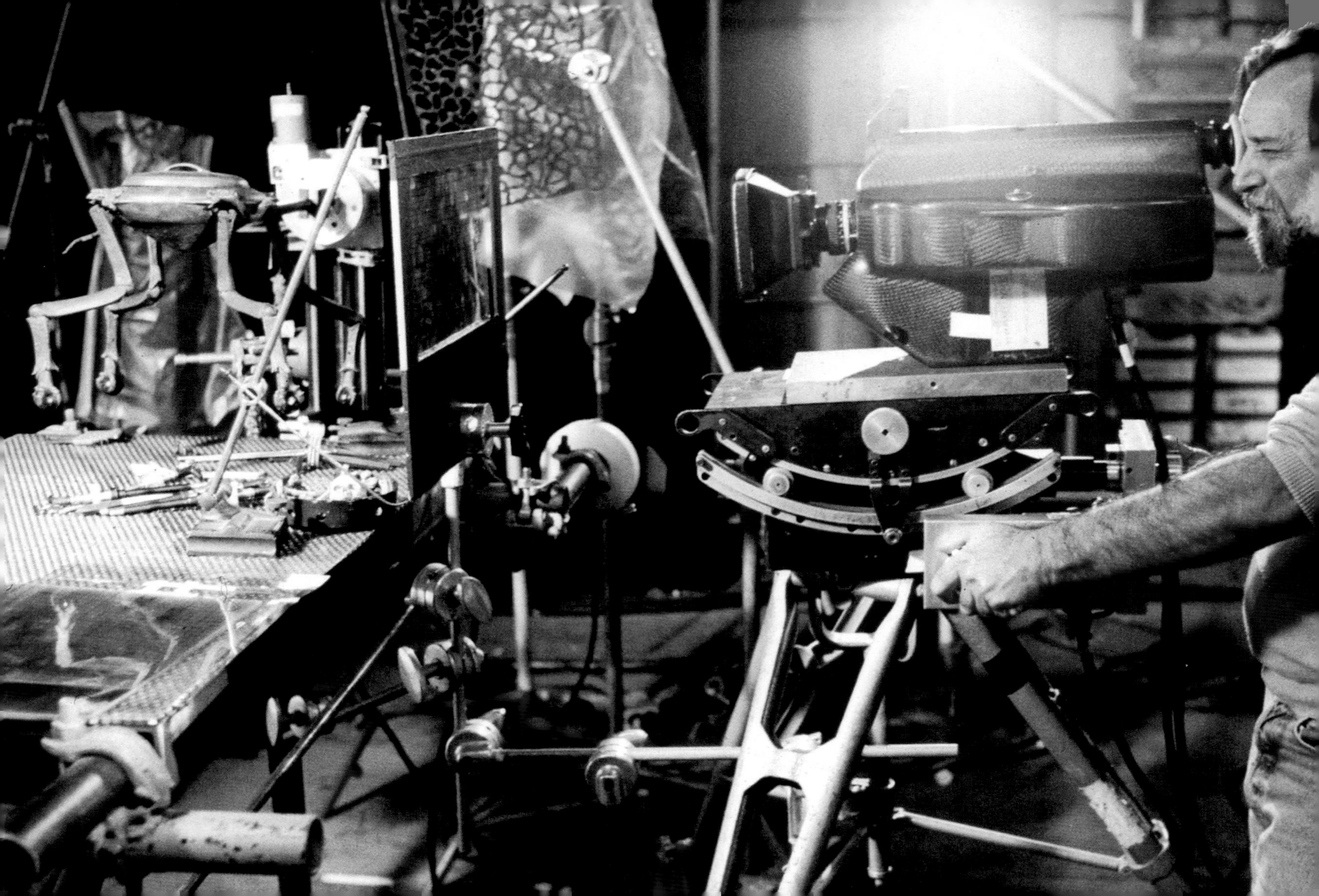

Un atelier d'Industrial Light & Magic. La société high-tech créée par George Lucas a conçu les nombreux effets spéciaux de *Willow*.

Une scène de sorcellerie dans *Willow*. Après *Legend* et *Princess Bride*, un nouveau classique de l'heroic fantasy des années quatre-vingt.

1988 1re utilisation du morphing *WILLOW*

Recrutés pour réaliser les effets spéciaux du monde enchanté de *Willow*, les ingénieurs du studio Industrial Light & Magic se heurtent à une scène casse-tête : comment rendre crédibles à l'écran les métamorphoses successives d'une chèvre en autruche, en tortue, en tigresse puis, enfin, en femme ? Après quelques essais, les bonnes vieilles techniques de l'animation image par image et du fondu enchaîné se révèlent insuffisantes. Denis Muren, le superviseur d'ILM, va donc recourir pour la première fois au cinéma à la technique du morphing numérique : la doublure de l'actrice et tous les animaux sont filmés séparément, leurs images mélangées dans un ordinateur et les transitions de l'une à l'autre orchestrées par un logiciel spécial. Le tour est joué, et a connu depuis de nombreuses applications, de *Terminator* à *La nuit au musée*.

Sigrid Drusse (Kirsten Roffles), entre deux infirmiers. La vieille dame enquête sur une petite fille prisonnière de l'hôpital.

Scène du *Royaume*. Le film de Lars Von Trier était une série télévisée, diffusée en France sous le titre *L'Hôpital et ses fantômes*.

On trouve de tout dans l'hôpital, métaphore du Danemark : des médecins véreux réunis en loge, des trafics, et beaucoup de surnaturel.

1995 **1er** Film tourné en intérieurs sans lumière artificielle

LE ROYAUME

Lars Von Trier a toujours aimé les défis techniques. Si, à ses débuts, le réalisateur danois apparaissait comme un « Monsieur Plus » (de trucages, de sophistications...), il fut tenté dans les années quatre-vingt-dix par le « toujours moins »... jusqu'à proclamer en 1995 un vœu de chasteté cinématographique érigé en dogme. Dans *Le Royaume,* une série produite pour la télévision avant de sortir dans les salles de cinéma, Lars Von Trier a ainsi réussi son pari de tourner un film quasi-intégralement en intérieurs sans la moindre lumière artificielle. Conséquence : une image au grain énorme et sombre. Très sombre... Ce parti pris esthétique est toutefois parfaitement justifié par le sujet même du film : la vie à huis clos dans un hôpital labyrinthique où les médecins pourraient tout aussi bien être les malades. Où les fantômes les plus extravagants surgissent de la nuit.

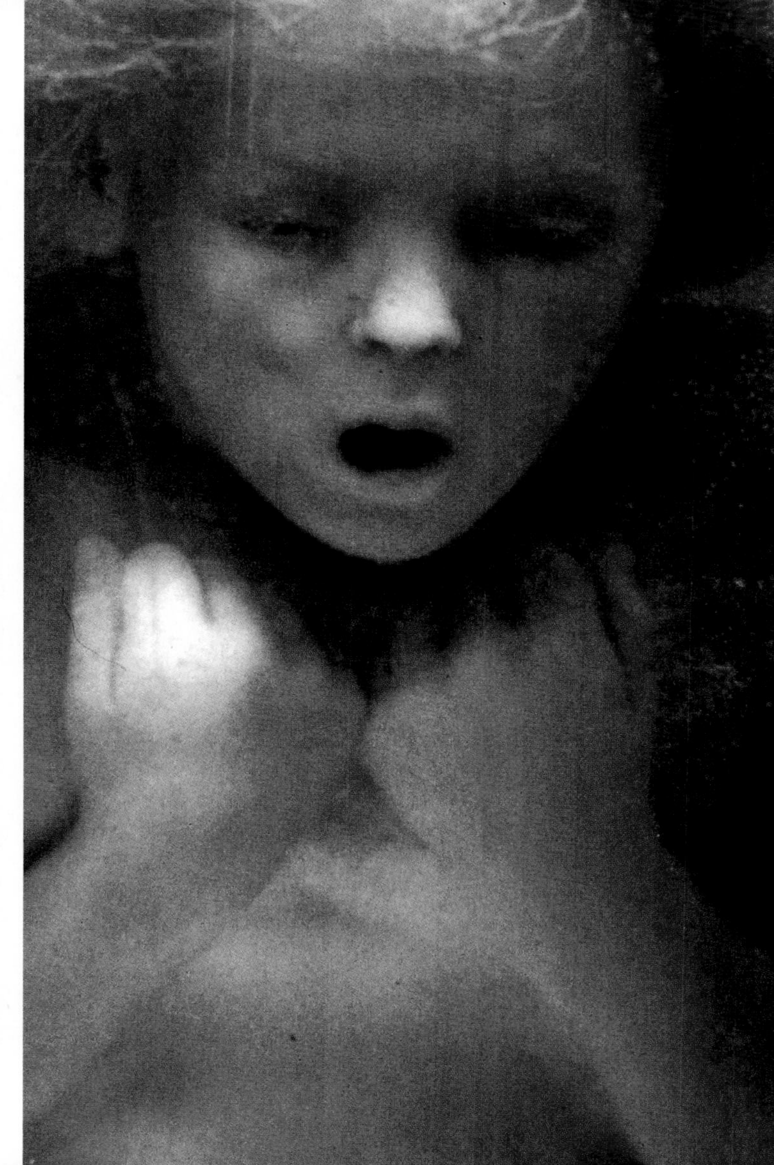

Buzz l'éclair et Woody le cow-boy, les personnages emblématiques de *Toy Story,* puis de *Toy Story 2.* En attendant *Toy Story 3*...

Woody au milieu de ses copains jouets, dont l'hilarant Monsieur Patate, l'un des grands « seconds rôles » du film.

1995 1er

Long métrage d'animation en images de synthèse
TOY STORY

C'est le premier film 100% synthétique. En 1995, un ancien dessinateur de chez Disney obtient un triomphe planétaire avec *Toy Story,* le premier long métrage d'animation intégralement conçu sur ordinateur. John Lasseter lance la révolution Pixar, un petit studio hollywoodien qui va devenir le numéro un mondial du film d'animation avec *Le Monde de Nemo, Cars* et *Wall-E,* des merveilles souvent imitées... et rarement égalées. Quatorze ans après leur sortie, les images de synthèse du pantin Woody et du robot Buzz l'éclair font, technologiquement parlant, figures de dinosaures. Mais *Toy Story* reste un régal pour les enfants comme pour les adultes grâce à son histoire et ses personnages, aussi originaux qu'hilarants. Et qui prouvent que, sans scénario réussi, la technique la plus innovante ne sert à rien.

1998

1er Film d'animation produit par Steven Spielberg et Dreamworks *LE PRINCE D'ÉGYPTE*

En 1994, un nouveau studio voit le jour à Hollywood. Dreamworks SKG se veut une grande entreprise multimédia, de la musique aux jeux vidéo, grâce à la convergence des talents de ses trois membres fondateurs : Steven Spielberg, le réalisateur le plus populaire du cinéma américain, Jeffrey Katzenberg, l'ancien responsable de l'animation chez Walt Disney, et David Geffen, producteur de disques à succès. Le cinéma est toutefois la véritable « vache à lait » du groupe, et plus particulièrement sa division de films d'animation. Le premier d'entre eux, un dessin animé « à l'ancienne », a été réalisé en 1998. *Le Prince d'Égypte* revisite la légende de Moïse et de la traversée de la mer Rouge à grands renforts de décors spectaculaires. Film d'animation le plus cher jamais produit à l'époque, il sera tout juste rentable. Mais Dreamworks a, depuis, accumulé les dollars grâce à ses cartoons en image de synthèse : *Fourmiz,* dès 1998 et, surtout, la série des *Shrek.*

La course de chars entre Moïse et le pharaon Ramsès (ci-dessus) et la fuite du peuple juif (ci-contre), deux scènes marquantes du *Prince d'Égypte*.

Moïse dans le palais de son ami Ramsès. Val Kilmer et Ralph Fiennes, mais aussi Michelle Pfeiffer ont prêté leur voix aux personnages du *Prince d'Égypte*.

Helge (Henning Moritzen), le père incestueux de Michael et Christian (Ulrich Thomsen et Thomas Bo Larsen, sur l'affiche). Quand la réunion de famille tourne au psychodrame...

1998

1er Film réalisé selon le « Dogma 95 »

FESTEN

Au terme d'une soirée que la légende dit très arrosée, de jeunes réalisateurs danois définissent en 1995 « un vœu de chasteté » en dix commandements pour lutter contre un cinéma qu'ils jugent trop conventionnel. Le « Dogma 95 » refuse tout tournage en studio, tout artifice, tout film de genre et rend obligatoire la caméra à l'épaule. Thomas Vinterberg est le premier à passer aux travaux pratiques en 1998 avec *Festen,* le récit secouant d'un psychodrame familial... dont les nombreux effets de mise en scène bafouent pourtant l'austérité revendiquée ! Lars Von Trier lui emboîte le pas avec *Les idiots.* Jusqu'à la dissolution du mouvement en mars 2005, quarante-huit autres films recevront la certification « Dogma », sans jamais atteindre la réussite artistique ni le succès public (la plupart ne sont jamais sortis en salles) des deux pionniers.

Une elfe, symbole du printemps, dans *L'Oiseau de feu* (version 1919) d'Igor Stravinsky, la huitième et dernière séquence de *Fantasia 2000.*

La loufoquerie débridée du *Carnaval des animaux* de Camille Saint-Saëns et le vol des baleines dans *Les pins de Rome* d'Ottorino Respighi.

1999 **1er**

Film en format Imax
FANTASIA 2000

Toujours plus grand... Depuis les débuts du cinéma, les ingénieurs n'ont cessé de repousser les limites de l'écran. En 1971, quatre « Géo Trouvetou » canadiens mettent au point le format Imax – abréviation d'« Image MAXimum » : une pellicule à la taille XXL (dix fois le 35 mm traditionnellement utilisé dans les salles de cinéma) qui doit être projetée sur un écran d'au moins 350 m^2... Pendant vingt-neuf ans, l'IMAX sera réservé aux moyens métrages documentaires. Jusqu'à ce que Roy Disney, le neveu de Walt, décide d'utiliser cette technologie pour le dernier bébé de ses studios : la nouvelle version de *Fantasia,* une illustration spectaculaire par le dessin animé de huit « tubes » de la musique classique. Du 1er janvier au 30 avril, le film sera ainsi distribué dans les seules salles IMAX, où il fera un triomphe. Il sera ensuite repris dans les cinémas standard, avec beaucoup moins de succès...

Lord Farquaad face à son miroir magique. Le « méchant » de *Shrek* a la voix de John Lithgow dans la version originale du film.

Une scène de *Shrek*. Le film d'Andrew Adamson et Vicky Jenson a déjà connu deux suites à succès. Deux autres sont en préparation.

L'âne bavard a la voix d'Eddie Murphy et Shrek, le géant vert, celle de Mike Myers, le créateur délirant d'*Austin Powers*.

2002 1er

Oscar pour un long métrage d'animation *SHREK*

Au fil des années, le palmarès des Oscars s'est enrichi de nouvelles catégories. Déçus que les figurines en pâte à modeler de *Chicken Run* n'aient pas été sélectionnées pour le prix du meilleur film en 2001, les dirigeants de l'Academy of Motion Pictures Arts and Sciences décident l'année suivante de décerner un Oscar du meilleur film d'animation. *And the first winner is... Shrek*, d'Andrew Adamson et Vicky Jenson, l'ogre vert et pétomane, une production Spielberg préférée à *Monstres et Cie* de chez Pixar. Le studio de John Lasseter s'est rattrapé depuis en obtenant quatre statuettes pour *Le Monde de Nemo*, *Les Indestructibles* (au détriment de... *Shrek 2* !), *Ratatouille* et *Wall-E*.

Une seule nomination

Avant qu'une récompense spécifique soit instituée, un seul dessin animé a eu l'honneur d'être nommé pour l'Oscar du meilleur film : il s'agit de *La Belle et la bête* des studios Disney, en 1992. Il fut battu par *Le Silence des agneaux*, le thriller pas du tout pour les enfants de Jonathan Demme.

2008 | **1er**

Film français dépassant les 20 millions d'entrées

BIENVENUE CHEZ LES CH'TIS

Au 21 mai 2008, *Bienvenue chez les Ch'tis* a totalisé plus de vingt millions d'entrées, soit un record absolu pour un film français sur son propre territoire, reléguant au second plan les plus de 17 millions d'entrées de *La Grande Vadrouille* en 1971. Un peu moins cependant que le film américain *Titanic* qui conserve sa position de leader en la matière. Quoi qu'il en soit, le cinéma hexagonal a la tête dans les nuages du Nord et voit la vie en rose grâce à ce film phénomène dont personne n'aurait pu prévoir l'incroyable succès populaire. De Marseille jusqu'à Lille, les salles de cinéma qui projettent le film ne désemplissent pas et certains spectateurs ont vu le film une dizaine de fois ! De multiples remakes sont en préparation à l'étranger dont un aux États-Unis sous la houlette de Will Smith.

La dégustation des frites, un rituel de la vie dans le « Ch'Nord ». À droite, Dany Boon, le réalisateur multi-millionnaire de *Bienvenue chez les Ch'tis*.

Philippe Abrams (Kad Merad) ; le « sudiste » d'Aix-en-Provence est muté dans un bureau de poste du Pas-de-Calais. Et il n'est pas content...

Philippe Abrams (Kad Merad) et Antoine Bailleul (Dany Boon), le gentil « ch'ti » facteur, à fond les guidons dans les rues de Bergues.

ANCIEN
ABATTOIR
L'Abattoir
LA POSTE

Crédits photos

CHRISTOPHEL
p. 7 Coll. ChristopheL ; **p. 8-9** Coll. ChristopheL ; **p. 10-11** Coll. ChristopheL ; **p. 12-13** Coll. ChristopheL ; **p. 14-15** Coll. ChristopheL ; **p. 16-17** Coll. ChristopheL ; **p. 18-19** Coll. ChristopheL ; **p. 21** Coll. ChristopheL ; **p. 31** Coll. ChristopheL ; **p. 36-37** Coll. ChristopheL ; **p. 38** Coll. ChristopheL ; **p. 41** Coll. ChristopheL ; **p. 45** Coll. ChristopheL ; **p. 53** Coll. ChristopheL ; **p. 55** Coll. ChristopheL ; **p. 56-57** Coll. ChristopheL ; **p. 64-65** Coll. ChristopheL ; **p. 69** Coll. ChristopheL ; **p. 72-73** Coll. ChristopheL ; **p. 79** Coll. ChristopheL ; **p. 80-81** Coll. ChristopheL ; **p. 84-85** Coll. ChristopheL ; **p. 86-87** Coll. ChristopheL ; **p. 88-89** Coll. ChristopheL ; **p. 95** Coll. ChristopheL ; **p. 98-99** Coll. ChristopheL ; **p. 103** Coll. ChristopheL ; **p. 105** Coll. ChristopheL ; **p. 107** Coll. ChristopheL ; **p. 109** Coll. ChristopheL ; **p. 110-111** Coll. ChristopheL ; **p. 114-115** Coll. ChristopheL ; **p. 129** Coll. ChristopheL ; **p. 130-131** Coll. ChristopheL ; **p. 132-133** Coll. ChristopheL ; **p. 134-135** Coll. ChristopheL ; **p. 136** Coll. ChristopheL ; **p. 138-139** Coll. ChristopheL ; **p. 140** Coll. ChristopheL ; **p. 142-143** Coll. ChristopheL ; **p. 144** Coll. ChristopheL ; **p. 152** Coll. ChristopheL ; **p. 154-155** Coll. ChristopheL ; **p. 156-157** Coll. ChristopheL ; **p. 164** Coll. ChristopheL ; **p. 166** Coll. ChristopheL ; **p. 168-169** Coll. ChristopheL ; **p. 170-171** Coll. ChristopheL ; **p. 172-173** Coll. ChristopheL ; **p. 174** Coll. ChristopheL ; **p. 178-179** Coll. ChristopheL ; **p. 180** Coll. ChristopheL ; **p. 182-183** Coll. ChristopheL ; **p. 185** Coll. ChristopheL ; **p. 186-187** Coll. ChristopheL ; **p. 189** Coll. ChristopheL ; **p. 190** Coll. ChristopheL ; **p. 192-193** Coll. ChristopheL ; **p. 194-195** Coll. ChristopheL ; **p. 198-199** Coll. ChristopheL ; **p. 200-201** Coll. ChristopheL ; **p. 202-203** Coll. ChristopheL ; **p. 204-205** Coll. ChristopheL.

EYEDEA
p. 24 Keystone-France / Keystone ; **p. 30** Keystone-France ; **p. 46** Mary Evans / Keystone ; **p. 74** Gamma ; **p. 75** Keystone-France ; **p. 91** G. NIELSEN / Delta / Rapho ; **p. 121** R. CHEN / Firstlight / Hoa-qui ; **p. 124-125** Keystone-France / Keystone ; **p. 126-127** M. GANTIER / Gamma ; **p. 140** S. DE SAZO / Rapho / Eyedea Presse ; **p. 141** Keystone-France / Keystone ; **p. 151** BENAINOUS-DUCLOS / Gamma ; **p. 161** Fotoblitz / Stills / Gamma ; **p. 176** Pictorial / Stills / Gamma ; **p. 176-177** Camera Press / Cp. / GS / Gamma ; **p. 177** Pictorial / Stills / Gamma.

GETTY
p. 20 American Stock Archive / Hulton Archive ; **p. 27** Hulton Archive ; **p. 46-47** Topical Press Agency / Hulton Archive ; **p. 47** Petrified Collection / The Image Bank ; **p. 54** Frederic Lewis / Hulton Archive ; **p. 84** Marc Wanamaker / Hulton Archive ; **p. 108** Hulton Archive ; **p. 174** Time & Life Pictures.

PHOTO12
p. 30 Photos12 / ARJ ; **p. 44** Archives du 7e Art – Photo12 ; **p. 97** Archives du 7e Art – Photo12 ; **p 136-137** Archives du 7e Art - Photo12 ; **p. 150** Archives du 7e Art – Photo12 ; **p. 165** Archives du 7e Art – Photo12 ; **p. 167** Archives du 7e Art – Photo12 ; **p. 175** Archives du 7e Art – Photo12 ; **p. 184** Archives du 7e Art – Photo12.

MPTV
p. 51 MPTV / Eyedea ; **p. 92** MPTV / Eyedea ; **p. 100-101** MPTV / Eyedea ; **p. 112-113** MPTV / Eyedea ; **p. 120-121** MPTV / Eyedea ; **p. 128** MPTV / Eyedea ; **p. 160-161** MPTV / Eyedea ; **p. 174** MPTV / Eyedea ; **p. 184-185** MPTV / Eyedea.

AUTRES
p. 6 DR ; **p. 10** DR ; **p. 22-23** DR ; **p. 24-25** DR ; **p. 26** DR ; **p. 28-29** DR ; **p. 32-33** DR ; **p. 34-35** DR ; **p. 38-39** DR ; **p. 40-41** DR ; **p. 42-43** DR ; **p. 44** DR ; **p. 48-49** DR ; **p. 50-51** DR ; **p. 52** DR ; **p. 56-57** DR ; **p. 58** DR ; **p. 58-59** Paramount Pictures ; **p. 60-61** La Cinémathèque Française ; **p. 62** UFA-Universum-Film ; **p. 63** DR ; **p. 66** Svenska Bio (Stockholm) ; **p. 67** UFOLEIS ; **p. 67-68** DR ; **p. 70-71** DR ; **p. 76-77** DR ; **p. 78** DR ; **p. 82-83** La Cinémathèque Française ; **p. 90-91** DR ; **p. 92** DR ; **p. 94-95** DR MGM ; **p. 96** DR ; **p. 98** DR ; **p. 102-103** DR ; **p. 104-105** DR ; **p. 106-107** DR ; **p. 113** DR ; **p. 116-117** DR ; **p. 118-119** DR ; **p. 122-123** DR ; **p. 127** DR ; **p. 128** MGM ; **p. 130** DR ; **p. 136** Walt Disney Pictures ; **p. 139** DR ; **p. 143** C.G.C.F. ; **p. 145** MK2 Diffusion ; **p. 146-147** DR ; **p. 148** James Filton ; **p. 148** J.Arthur Rank Organisation ; **p. 149** Columbia Pictures ; **p. 150-151** United Artists ; **p. 153** DR ; **p. 158** Calasans Neto ; **p. 159** DR ; **p. 162-163** DR ; **p. 166-167** DR ; **p. 180-181** DR ; **p. 181** Masakatsu Ogasawara ; **p. 188** Walt Disney Pictures ; **p. 191** DR ; **p. 196-197** Dreamworks Pictures.